大型水利工程建设项目管理系统研究与实践

孙祥鹏　廖华春　著

黄河水利出版社
·郑州·

内 容 提 要

本书围绕大型水利工程全生命周期信息化管理需要,结合大藤峡水利枢纽工程建设面临的重点与难点,从设计管理、投资管理、合同管理、进度管理、采购与物资管理、施工管理、质量管理、安全管理、技术咨询管理、科研管理、审计管理、工程文档管理、综合门户管理、移动应用、BIM管理、三维应用等各环节进行系统设计,为智慧工程、阳光工程建设提供现代化技术支撑。

图书在版编目(CIP)数据

大型水利工程建设项目管理系统研究与实践/孙祥鹏,廖华春著.—郑州:黄河水利出版社,2019.12

ISBN 978-7-5509-2551-9

Ⅰ.①大… Ⅱ.①孙… ②廖… Ⅲ.①水利工程-基本建设项目-工程项目管理-管理信息系统-研究 Ⅳ.①TV512

中国版本图书馆CIP数据核字(2019)第293624号

组稿编辑:李洪良　电话:0371-66026352　E-mail:hongliang0013@163.com

出 版 社:黄河水利出版社　网址:www.yrcp.com

地址:河南省郑州市顺河路黄委会综合楼14层　邮政编码:450003

发行单位:黄河水利出版社

发行部电话:0371-66026940、66020550、66028024、66022620(传真)

E-mail:hhslcbs@126.com

承印单位:虎彩印艺股份有限公司

开本:787 mm×1 092 mm　1/16

印张:8

字数:142千字　印数:1—1 000

版次:2019年12月第1版　印次:2019年12月第1次印刷

定价:48.00元

前　言

大型水利工程周期长、难度大、环节多，如何有效加强质量、安全、资金、进度等过程控制，是长期困扰管理者的一大难题。利用工程建设项目管理系统可实现对水利枢纽全生命周期中规划、设计、采购、施工、验收、移交等各个环节进行支撑和管理，并实现对工程项目管理计划与进度、投资与成本、合同、质量、安全、设计和施工的控制，规范工程建设管理的流程，实现工程建设的程序化、规范化和精细化管理以及建设过程全生命周期的电子跟踪，提高工程建设各接口工作和管理效率，实现项目参与方的高效协作，提高工程建设管理的透明度和综合效益。本书以广西大藤峡水利枢纽工程为例，详细论述当前大型水利工程建设项目管理系统的构建全过程。

大藤峡水利枢纽工程位于珠江水系西江流域黔江干流大藤峡出口处弩滩上，距下游广西壮族自治区桂平市黔江彩虹桥约 6.6 km，属于红水河梯级规划中最末一个梯级。大藤峡水利枢纽是具有防洪、航运、发电、补水压咸、灌溉等综合利用的大(1)型水利枢纽工程。枢纽建筑物主要包括泄水、通航、发电、挡水、灌溉取水口、过鱼等建筑物。水库正常蓄水位 61.00 m，总库容 34.79 亿 m^3。船闸按 3 000 t 级规模设计。电站总装机容量 1 600 MW，装 8 台水轮发电机组。

大藤峡水利枢纽工程建设周期长、覆盖范围广、投资金额大、管理任务重、时间要求紧；工程建设项目管理涉及项目立项、招标投标、规划设计、项目施工、物资采购、合同验收、资产移交等多个环节，涵盖技术管理、合同管理、进度管理、质量管理、安全管理、资产管理、档案管理等多个类别。要确保工程建设顺利实施，就必须紧密结合工程建设实际，充分利用信息化这一重要支撑手段，建设大藤峡工程建设项目管理系统，加强工程建设的全过程跟踪和管理，为业主、设计方、监理方、施工方、供应商等工程参建各方提供协同工作平台，实现各专业业务的流程化、一体化管理，提高工程建设管理的现代化能力，促进工程效益的尽快发挥，争取早日把大藤峡水利枢纽工程打造成精品工程、阳光工程、廉洁工程、生态工程、智慧工程和标杆工程。

大藤峡工程建设项目管理系统建设任务包括工程建设管理综合数据库、

业务应用系统、应用支撑、运行环境、系统安全、系统集成等。

鉴于作者水平有限,疏漏与不妥之处在所难免,敬请专家和读者指正。

作　者

2019 年 12 月于广西桂平

目　录

第1章　概　述

1.1　项目简介

2014年10月8日，国务院批准《关于报送广西大藤峡水利枢纽工程可行性研究报告的请示》(发改农经〔2014〕2156号)，承载着几代广东、广西及澳门民众世纪梦想的大藤峡工程拉开建设序幕；2015年5月20日，水利部正式批复了《大藤峡水利枢纽工程初步设计报告》(水总〔2015〕222号)，标志着工程转入全面建设阶段。2014年5月21日，在李克强总理主持召开的国务院常务会议上，确定将大藤峡工程纳入172项节水供水重大水利工程和62个江河湖泊治理骨干工程。国家和水利部党组对大藤峡水利枢纽工程提出了很高的要求并给予了极高的期望，希望力争把大藤峡工程建成国家重大基础设施的精品工程、阳光工程、廉洁工程、生态工程、智慧工程和标杆工程。

大藤峡工程位于珠江流域西江水系黔江干流大藤峡出口弩滩上，下距广西桂平市彩虹桥6.6 km；坝址以上控制流域面积19.86万km^2，约占西江流域面积的56.4%；是一座防洪、航运、发电、补水压咸、灌溉等综合利用的流域关键性工程。该工程是国务院批准《珠江流域综合利用规划》《珠江流域防洪规划》确定的珠江流域防洪控制性工程，以及《珠江流域与红水河水资源综合规划》《保障澳门珠海供水安全专项规划》提出的流域重要水资源配置工程，是打造西江黄金水道、促进西江经济带发展的关键项目。水库正常蓄水位61.00 m，水库总库容34.79亿m^3；防洪限制水位47.60 m，防洪库容15亿m^3；船闸建设规模为3 000 t级；枢纽电站装机容量1 600 MW；水库淹没及工程永久占用耕地约5.93万亩[1]，规划水平年需搬迁人口1.46万人；保障下游思贤滘压咸流量2 500 m^3/s；灌溉面积120.6万亩。工程总工期9年。

大藤峡工程建设项目管理涉及项目立项、招标投标、规划设计、项目施工、采购、验收、移交等多个环节，涵盖技术管理、资产管理、合同管理、质量管理、进度管理、安全管理、造价管理、档案管理、运行管理、观测、维修等多个类别，

[1] 1亩=1/15 hm^2。

具有专业性强、复杂度较高、多领域相结合的特点。因此，需要通过大藤峡工程建设项目管理系统的开发和应用，加强工程建设的全过程跟踪和管理及投资计划执行的动态监管，提高公司内部信息的实时性、资源共享性、管理智能性和决策科学性，在工程建设的各个环节以合理的信息化手段和科学的管理方式作为有效支撑，达到资源、管理、信息等优化运行的一体化模式，最终提升工程的现代化建设和管理水平。

1.2　设计依据

(1)《中共中央国务院关于加快水利改革发展的决定》(2011 年中央一号文件)。

(2)国务院《关于广西大藤峡水利枢纽可行性研究报告的批复》(发改农经〔2014〕2325 号)。

(3)《国家发展改革委关于大藤峡水利枢纽工程初步设计概算的批复》(发改投资〔2015〕1058 号)。

(4)《水利部关于深化水利改革的指导意见》(水利部,2014 年 1 月)。

(5)《水利部关于大藤峡水利枢纽工程初步设计的批复》(水总〔2015〕222 号)。

(6)《水利部关于大藤峡水利枢纽工程建设近期工作方案的批复》(水规计〔2014〕388 号)。

(7)《水利部办公厅关于大藤峡水利枢纽工程质量监督有关事项的通知》(办建管函〔2015〕474 号)。

(8)《大藤峡水利枢纽工程可行性研究报告(审定稿)》(2012 年 12 月)。

(9)《大藤峡水利枢纽工程初步设计报告》(2014 年 12 月)。

(10)《"智慧大藤峡"顶层设计》(2019 年 9 月)。

(11)《水利信息系统初步设计报告编制规定》(SL/Z 332—2005)。

1.3　设计原则

1.3.1　需求牵引、实用主导

紧密围绕大藤峡工程建设管理工作的实际需要，针对工程建设管理各个阶段、各个环节中的应用需求，认真开展需求分析工作。以需求为牵引，以应用的实用性、有用性为系统设计的根本宗旨，紧密结合大藤峡工程建设管理的特点与实际运用环境，充分考虑系统的实用性和可操作性，确保系统建成后“实用、有用、好用”。

1.3.2 高效可靠、开放扩展

设计要采用先进、成熟、主流技术，保证所开发的系统高效可靠，具有较好的先进性和较长的生命周期。同时，要充分考虑到现代信息技术尤其是新兴技术的飞速发展，使系统具有较强的开放性和扩展性，为技术更新、功能升级留有余地。

1.3.3 统一标准、资源共享

在遵照国家、行业等有关技术标准的前提下，结合现有可利用的资源，统一设计标准，为数据共享和交换提供保证，为系统的发展、技术更新、功能扩展创造条件。充分利用现有资源或拟建设的信息化运行环境，加强整合，促进互联互通、信息共享和平稳过渡。

1.3.4 多方论证、综合比选

综合考虑数据采集和传输、数据存储、信息服务、应用开发等各个环节应用的实际需要，在多方案论证、综合比选的基础上做出设计方案选择，以保证方案的合理性和科学性。

1.4 主要建设内容

大藤峡工程建设项目管理系统的建设任务主要包括工程建设管理综合数据库、业务应用系统、应用支撑、运行环境、系统安全、系统集成、培训及技术服务等。

1.4.1 工程建设管理综合数据库

根据相关技术规范和标准，充分结合大藤峡工程建设与管理业务的实际需要，通过对各类工程资料进行收集、整理和入库，建立和完善工程建设管理综合数据库，实现工程建设业务数据的动态更新维护。

1.4.2 业务应用系统

业务应用系统是工程建设管理的重要作业平台,主要包括投资管理模块、合同管理模块、进度管理模块、采购与物资管理模块、施工管理模块、质量管理模块、安全管理模块、设计管理模块、技术咨询管理模块、科研管理模块、审计管理模块、工程文档管理模块、综合门户模块、移动应用模块、BIM 管理模块、三维应用模块。

1.4.3 应用支撑

应用支撑平台提供统一的技术架构和运行环境,为工程建设项目管理系统建设提供通用应用服务和集成服务,主要包括各类商业支撑软件、开发类支撑软件和通用服务平台。

1.4.4 运行环境

运行环境由通信网络、服务器与存储、机房等组成,本项目将充分利用已有的网络与机房环境,重点开展服务器与存储部分的云计算基础平台建设。

1.4.5 系统安全

按照信息系统等级保护三级安全标准开展信息安全体系建设,包括物理环境、网络平台、计算环境、应用和管理等方面。本项目将充分利用珠江水利委员会已建安全防护体系,重点开展数字证书认证系统(CA 系统)、用户管理系统、身份认证系统、区域边界防护、虚拟化服务器操作系统安全免疫、系统应用层面安全防护和系统安全整改咨询与测评建设。

1.4.6 系统集成

系统集成包括系统与进度计划商业软件、系统内部应用、身份认证系统集成,以及与财务管理、移民管理、智能温控、视频监控等其他外部应用系统之间的集成。

1.4.7 培训及技术服务

培训及技术服务主要包括进度计划软件原厂服务,后续业务系统新增功能模块扩展开发,年度技术支持服务、系统升级完善、应急响应、操作培训等。

1.5 关键术语定义与说明

(1)WBS(Work Breakdown Structure):工作分解结构 WBS 是项目管理必需的工作方法和技术。WBS 是一个以项目为根的树结构,它将项目自上而下逐层分解到便于进度安排、费用估算、资源分配的控制单元。

(2)OBS(Organization Breakdown Structure):组织分解结构是项目组织结构图的一种非凡形式,描述负责每个项目活动的具体组织单元,它是将工作包与相关部门或单位,分层次、有条理地联系起来的一种项目组织安排形式。

(3)赢得值原理(Earned Value Concept - EVC):可以克服通常将进度和费用分开控制的缺点,能否运用赢得值原理进行项目管理与控制是国际工程公司的标志。赢得值原理要利用以下数据:

BCWS——计划工作的预算成本;

BCWP——已完成工作的预算成本;

ACWP——已完成工作的实际成本。

$$SV = BCWP - BCWS$$

进度差异 $SV>0$,说明进度提前;$SV=0$,说明进度相符;$SV<0$,说明进度拖期。

$$CV = BCWP - ACWP$$

进度差异 $CV>0$,说明费用节省;$CV=0$,说明预算相符;$CV<0$,说明费用超支。

$$SPI = BCWP/BCWS$$

进度执行效果指数 $SPI>1$,说明进度提前;$SPI=1$,说明进度相符;$SPI<1$,说明进度拖期。

$$CPI = BCWP/ACWP$$

进度执行效果指数 $CPI>1$,说明费用节省;$CPI=1$,说明预算相符;$CPI<1$,说明费用超支。

(4)Stakeholder(项目干系人):参与项目或受项目影响的个人或组织。

(5)Duration(工期)。

(6)人工时(Man-hours/Man-days):是工期与投入资源单位的乘积。

(7)里程碑(Milestone):项目中的重大事件,也指该事件的计划完成日期。

(8)S 曲线(S-Curve):按照对应时间点绘制的累计成本、人工时或其他数值的图形,形状如S。

(9)Estimate(估算):对近似量化结果的估计。

(10)Budget(预算):把成本估算分摊到项目的各个子项上。

(11)关键路线法(Critical Path Method,CPM):运用网络理论、网络图的形式组织管理工程项目的科学方法。

(12)可交付成果(Deliverable):可测量的、有形的及可验证的任何成果。

(13)快速跟进(Fast Tracking):为压缩项目进度将任务重叠安排。

(14)总时差(Float):在不影响总工期情况下活动拥有的浮动时间。

(15)自由时差(Free Float):不影响紧后活动最早开始日期情况下活动拥有的浮动时间。

(16)逻辑关系(Logical Relationship):活动之间的依赖关系,如完成-开始(finish to start,FS)。

第 2 章　建设目标与任务

2.1　建设目标

工程建设项目管理系统对水利枢纽建设全生命周期的规划、设计、采购、施工、验收、移交等多个环节进行支撑和管理，实现对工程项目管理计划与进度、投资与成本、合同、质量、安全、设计和施工的控制，实时了解工程建设与管理的动态信息，规范工程建设管理的流程，实现工程建设的程序化、规范化和精细化管理以及建设过程全生命周期的电子跟踪，提高工程建设各业务工作和管理的效率，实现项目参与方的高效协作，提高工程建设管理的透明度和综合效益。

系统面向大藤峡公司领导决策层、管理层，以及项目设计单位、项目承建单位、监理单位等参与工程建设管理的各部门（单位）提供协同工作平台，实现数据信息的填报、发送、处理以及业务的协同共享。

2.2　建设任务

大藤峡工程建设项目管理系统的建设任务主要包括工程建设管理综合数据库、业务应用系统、应用支撑、运行环境、系统安全、系统集成、培训及技术服务等，如表 2-1 所示。

2.3　建设原则

2.3.1　统一设计、统一标准

系统建设涉及项目立项、招投标、项目施工、质量管理、资金管理、进度管理、合同管理、安全管理、物资设备管理、项目验收与移交等多个环节，同时涉及水利、电力、航运等部门，为便于系统的扩展、升级和优化，系统建设应坚持“统一设计、统一标准”的原则，这是系统建设能否成功的关键。

表 2-1 大藤峡工程建设项目管理系统的建设任务

序号	任务名称	任务描述
1	工程建设管理综合数据库	数据建库、基础和业务数据整编、基础和业务数据整编入库、空间数据整编制作、数据导入模板、基础数据管理系统
2	业务应用系统	投资管理模块、合同管理模块、进度管理模块、采购与物资管理模块、施工管理模块、质量管理模块、安全管理模块、设计管理模块、技术咨询管理模块、科研管理模块、审计管理模块、工程文档管理模块、综合门户模块、移动应用模块、BIM 管理模块、三维应用模块
3	应用支撑	各类商业支撑软件、开发类支撑软件和通用服务平台
4	运行环境	云计算基础平台
5	系统安全	数字证书认证系统(CA 系统)、用户管理系统、身份认证系统、区域边界防护、操作系统免疫平台、系统应用安全、系统安全整改咨询与测评
6	系统集成	与进度计划商业软件集成、系统内部功能模块之间集成、与外部系统集成
7	培训及技术服务	进度计划软件原厂服务,后续业务系统新增功能模块扩展开发,年度技术支持服务,系统升级完善、应急响应、操作培训

2.3.2 统筹规划、分布实施

在系统建设中,需要科学地规划、细致地分析,理清系统中层次逻辑关系,统筹规划、统一部署,以业务驱动为重点,分期分批进行各模块建设,做到急用先上、重点突破。

2.3.3 资源整合、信息共享

充分利用珠江水利委员会以及相关单位已有的信息化基础设施,避免重复投资和建设;注重数据资源和应用的整合建设;与其他相关系统实现信息资源的有效共享。

2.3.4　实用先进、兼容开放

系统建设过程中确保以需求为导向、以应用为主线、以安全为保障，坚持实用可靠，注重兼容开放、易于维护和升级改造。

2.3.5　定制开发、尽早投用

大藤峡工程建设已经进入全面实施阶段，急需工程建设项目管理系统的有效支撑，因此在系统实际建设过程中，优先考虑采用目前已经在广泛使用的、功能齐全的成熟软件产品，结合大藤峡工程建设管理的实际需求进行二次开发和定制，缩短软件开发周期，使系统尽快投入使用，确保系统效益尽早发挥。

第3章 需求分析

3.1 建设必要性

3.1.1 是积极响应国家信息化发展战略的需要

党中央、国务院提出了“推动信息化和工业化深度融合”“促进工业化、信息化、城镇化、农业现代化同步发展”的中国特色社会主义现代化建设新要求。2015年,《国务院关于积极推进“互联网+”行动的指导意见》和《国务院关于印发〈促进大数据发展行动纲要〉的通知》的连续出台,强调了“要推动移动互联网、云计算、大数据、物联网等新技术与经济社会各领域发展的深度融合,‘互联网+’是成为经济社会创新发展的重要驱动力量”。

水利工程管理信息化是国家信息化发展的重要组成部分,是实现水利现代化的基础和重要标志。水利工程建设项目管理系统的建设,是顺应国家信息化发展的潮流,运用现代科学理论和新兴技术,对水利工程建设实行科学管理,从而提高水利管理和工程运行的信息化水平。

3.1.2 是贯彻国家质量纲要,强化质量监督的需要

水利建设百年大计,工程质量是生命线。2012年国务院印发了《质量发展纲要(2011—2020年)》,明确提出到2020年建设质量强国取得明显成效的战略目标。为贯彻国家质量发展纲要,水利部明确提出“建立覆盖全国的水利工程质量监督机构工作网络,加大水利工程质量监督执法力度;加强水利工程质量监督机构能力建设,规范水利工程质量监督工作制度,明确水利工程质量监督工作程序,完善监督手段和措施”的要求。水利工程建设项目管理系统的建设,正是响应了国家和水利部对质量监督管理的要求,提高工程质量监督管理效率,切实增强质量监督管理的支撑保障能力。

3.1.3 是大藤峡水利枢纽工程打造标志性工程的管理需要

国家和水利部党组对大藤峡工程给予极高的期望并提出很高的要求,力

争把大藤峡工程建成国家重大基础设施的精品工程、阳光工程、廉洁工程和水利行业的标志性工程。要尽早实现这一目标，就必须大力推进大藤峡水利工程信息化非工程措施建设，不断提高工程建设管理和公司综合管理的科学化、规范化、精细化水平。

大藤峡水利枢纽工程建设周期长、覆盖范围广、投资金额大、管理任务重、时间要求紧，要确保工程建设顺利实施，就必须紧密结合工程建设实际，充分利用信息化这一重要支撑手段，建设大藤峡工程建设项目管理系统，提高工程建设管理的现代化能力，促进工程效益的尽快发挥。

3.1.4　是大藤峡工程建设现代化和科学化管理的需要

大藤峡工程建设项目管理涉及项目立项、招标投标、规划设计、项目施工、物资采购、合同验收、资产移交等多个环节，涵盖技术管理、合同管理、进度管理、质量管理、安全管理、资产管理、档案管理等多个类别，管理任务繁重，质量要求很高。因此，需要通过大藤峡工程建设项目管理系统的开发和应用，加强工程建设的全过程跟踪和管理，为业主、设计方、监理方、施工方、供应商等工程参建各方提供协同工作平台，实现各专业业务的流程化、一体化管理，并对工程建设中产生的庞大数据，进行有效地收集、整理、分析，帮助管理层进行科学分析和决策，为大藤峡公司实现科学化、规范化、精准化管理提供有力的技术支撑和保障。

3.2　可行性分析

3.2.1　大藤峡工程的立项建设为项目的建设提供了保障

《大藤峡水利枢纽工程初步设计》(水总〔2015〕222 号)通过水利部批复，工程转入全面建设阶段。国家和水利部党组对大藤峡工程给予极高的期望并提出很高的要求，力争把大藤峡工程建成国家重大基础设施的精品工程、阳光工程、廉洁工程和水利行业的标志性工程。信息化作为非工程措施，是工程建设的重要组成部分，大藤峡工程的立项建设为项目的建设提供了实施的保障。

3.2.2　三峡、二滩水电等大型水利工程的项目管理系统的成功应用为本项目建设提供了宝贵经验

为确保工程建设顺利实施，三峡、二滩水电等大型水利工程均开展了工程

建设项目管理系统建设。已建水利枢纽工程的项目管理系统的成功应用为本项目建设提供了宝贵经验。

项目管理系统把管理业务流程、规范制度计算机化,避免了手工操作业务时容易产生的工作差错和随意性问题,提高了工程管理规范化程度和强化了管理基础工作。通过信息及时传递加工处理,加快信息反馈,管理人员得以根据历史信息快速对工程进度、成本等做出预测 ,发现问题,解决问题,做到"有的放矢"。同时,强化了岗位责任制和责任意识,方便岗位绩效评估。岗位责任制可以项目管理系统为载体清楚地展现个工作岗位的工作量、绩效,从而得到固化和强化。

3.2.3 新兴信息技术不断涌现为项目的实施提供了技术支撑

近年来,软件产业呈现五大趋势——"云物移大智",即云计算、物联网、移动互联网、大数据和智慧城市。新兴信息技术的广泛普及和深度应用,不仅为水利工程建设管理提供了新的技术手段,开拓了更加广阔的前景,更重要的是重塑了工程现代化管理应用的新模式,促使水利工程建设管理发生新的变革,为项目的实施提供了技术支撑。

3.3 需求分析

3.3.1 业务需求

大藤峡工程建设项目管理系统以项目为单元,实现工程建设管理过程中多专业、多部门、多单位之间的信息交互和协调工作,满足工程建设过程流程化、规范化的要求;支持工程建设资金、质量、进度、合同、安全等的合理控制和精细化管理,实现工程建设管理过程中各类信息和业务流程的高效流转和协同共享;能够对工程建设管理中产生的庞大数据进行有效地收集、整理、统计和分析,实现对各类数据和文档的高效管理,为管理层提供可靠的辅助决策手段。业务模型图如图 3-1 所示。

3.3.1.1 进度与计划管理

通过预先定义的项目工作分解结构,结合里程碑节点,建立项目总体进度计划,对总体计划进行细化;根据设计管理和施工合同,建立进度表并进行监控,如图 3-2 所示。

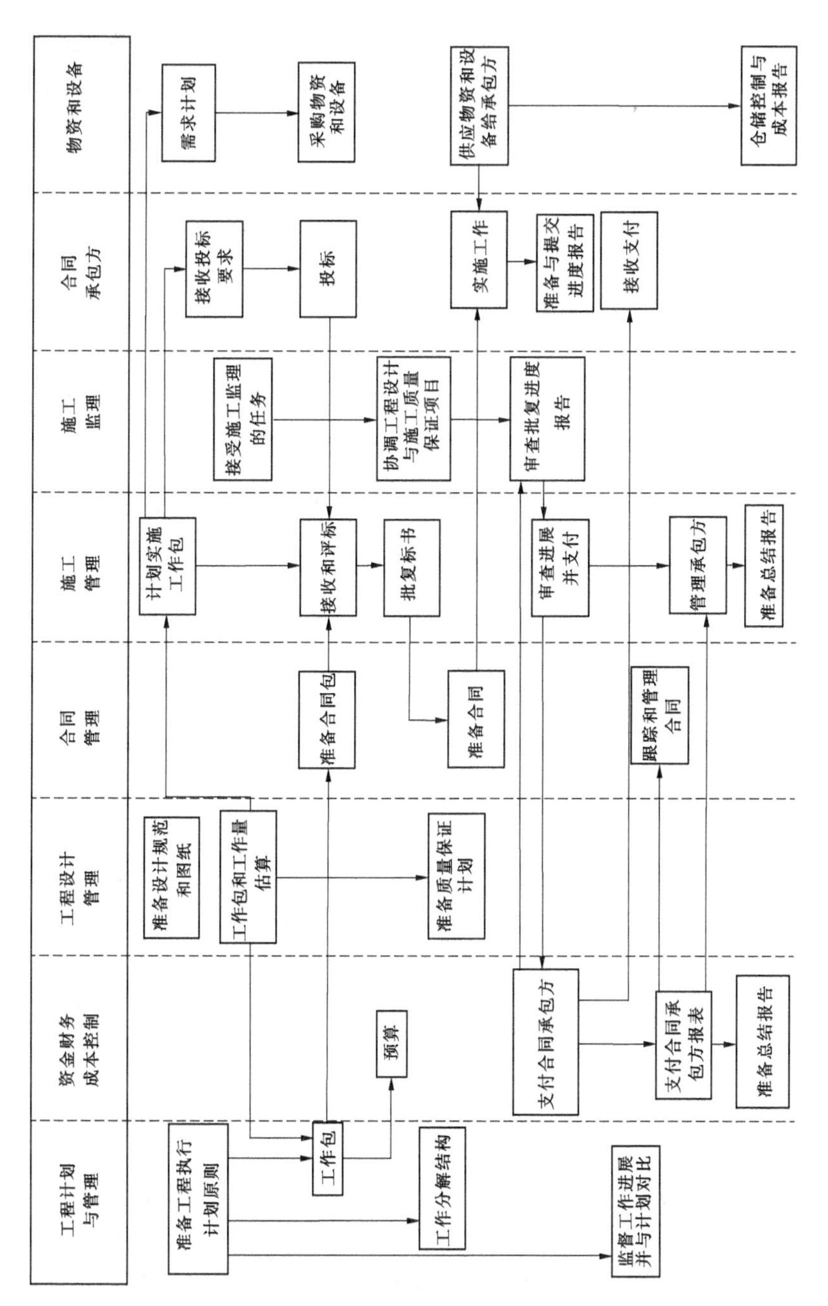

图 3-1　大藤峡工程建设项目管理系统业务模型

3.3.1.2　资金与成本控制

根据预先建立的资金与成本控制目标，建立工程概算，预测并跟踪成本，对各种影响成本的因素和条件采取的一系列预防和调节措施，以保证成本控制目标实现，如图 3-3 所示。

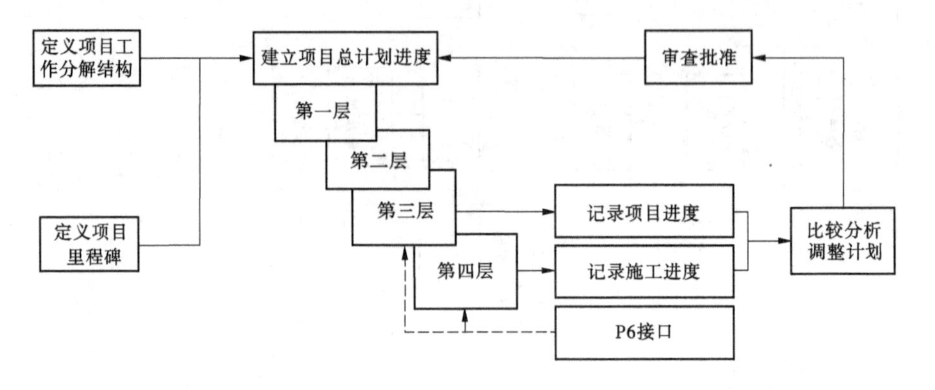

图 3-2　进度与计划管理业务模型

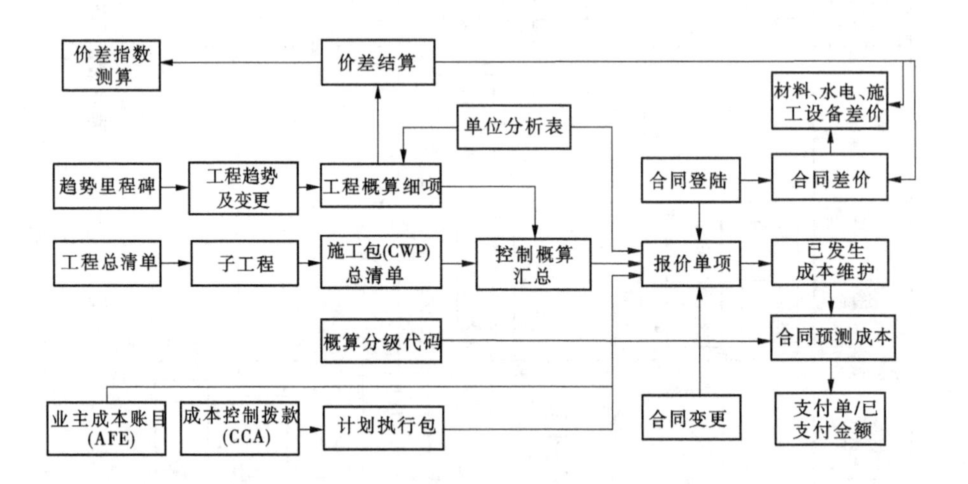

图 3-3　资金与成本控制业务模型

3.3.1.3　工程设计管理

按照设计要求，分解设计任务，确定里程碑，制订详细的设计供图计划，交付设计成果，跟踪控制设计成果提交进度，实施过程中发生的变更需审查后再交付，如图 3-4 所示。

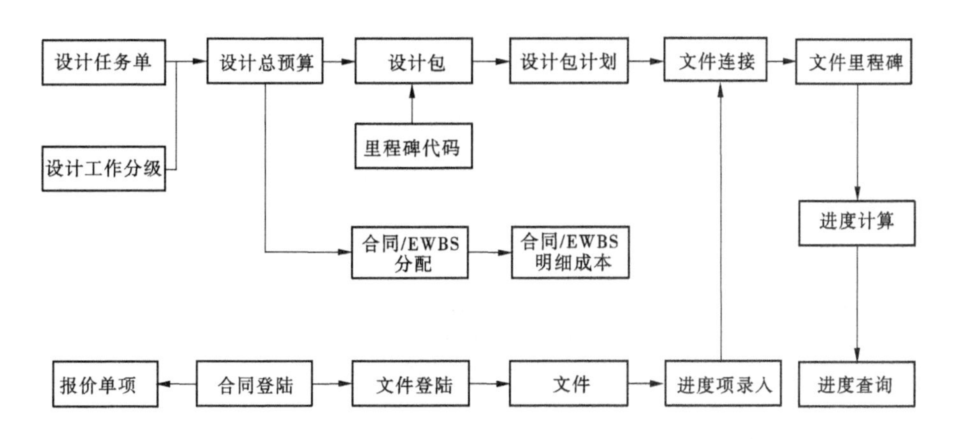

图 3-4　工程设计管理业务模型

3.3.1.4　**合同与施工管理**

支持从招投标、合同签订、合同执行、合同支付到合同验收的全过程管理；施工管理主要涵盖施工变更、工程报量、进度款申请、施工日志、周报、月报及现场管理等业务，如图 3-5 所示。

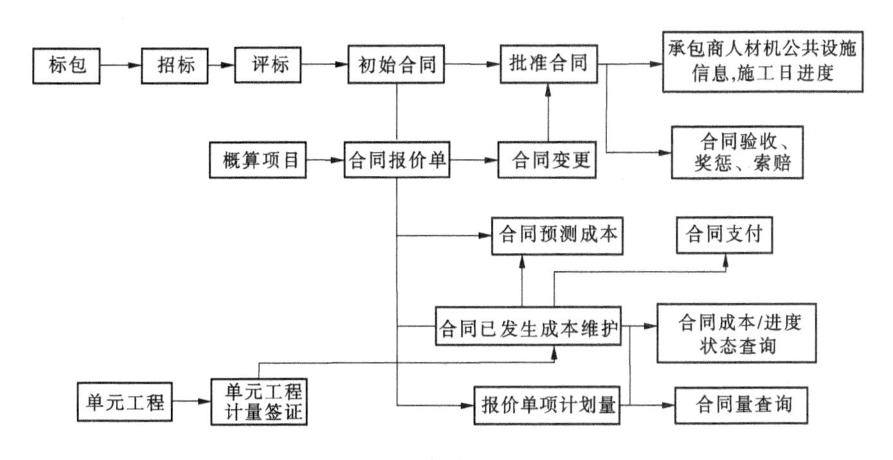

图 3-5　合同与施工管理业务模型

3.3.1.5　**采购与物资管理**

采购与物资管理主要涵盖工程机电设备、工程物资采购业务，实现对物资申请、采购、运输、结算、仓储、调拨等整个业务流程的跟踪控制，如图 3-6 所示。

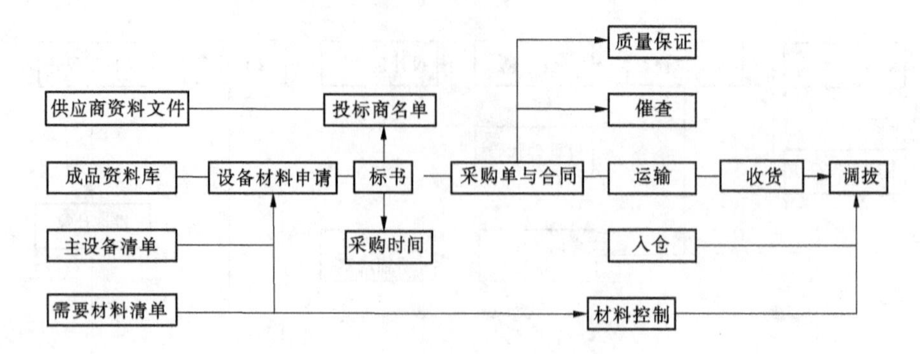

图 3-6　采购与物资管理业务模型

3.3.1.6　工程质量管理

工程质量管理主要是对施工和材料进行质量控制和管理,涵盖质量标准体系的建立、机电物资质检、工程施工质检、质量缺陷处理、工程竣工验收等业务,如图 3-7 所示。

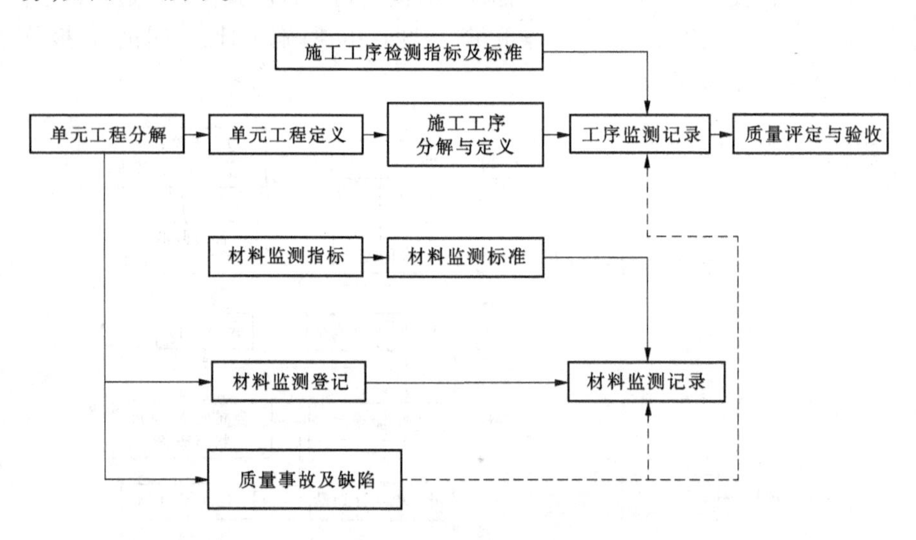

图 3-7　工程质量管理业务模型

3.3.1.7　财务与会计管理

完成工程预算管理、工程价款结算、费用支付、会计核算、固定资产和资金管理等财务会计业务的全过程管理。通过会计科目与概算项目或合同支付款的对应,自动生成工程结算单等,如图 3-8 所示。

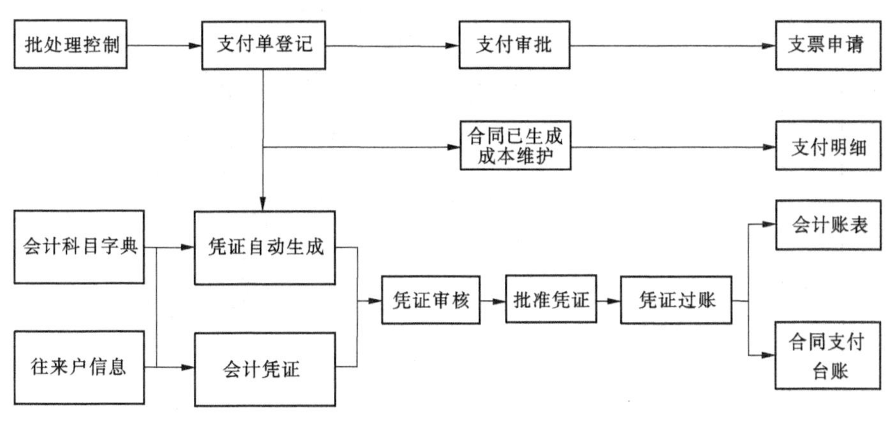

图3-8　财务与会计管理业务模型

3.3.2　数据流程

工程建设项目管理系统各主要模块之间的数据流程关系，如图3-9所示。通过各模块的集成实现流程和信息的流转，提高业务处理的效率。

各主要应用模块数据流呈现多方向、多类型的特征。其中进度管理是数据流转的龙头，合同管理是数据流转的中心，工程文档管理系统是数据/文档积累的重要工具。

3.3.3　功能需求

3.3.3.1　工程建设的协同管理

将国内先进的项目管理思路和体系融入到大藤峡工程建设管理中，以项目为单元，实现工程建设过程中多专业、多部门、多单位之间的信息交互和协调工作，满足工程建设过程流程化、规范化的要求，支持工程建设资金、质量、进度、合同等的合理控制和精细化管理，能够对工程建设管理中产生的庞大数据进行有效地收集、整理、统计和分析，实现对各类数据和文档的高效管理，为管理层提供可靠的辅助决策手段。

1. 投资管理

投资管理模块主要涵盖投资概算、项目预算的维护和核准，投资计划的编制、汇总平衡到审批、投资统计分析等。实现对工程、移民征地、水保和环保四大方面统计分析投资情况，提供按月、按年、按具体项目、按具体合同统计投资情况。

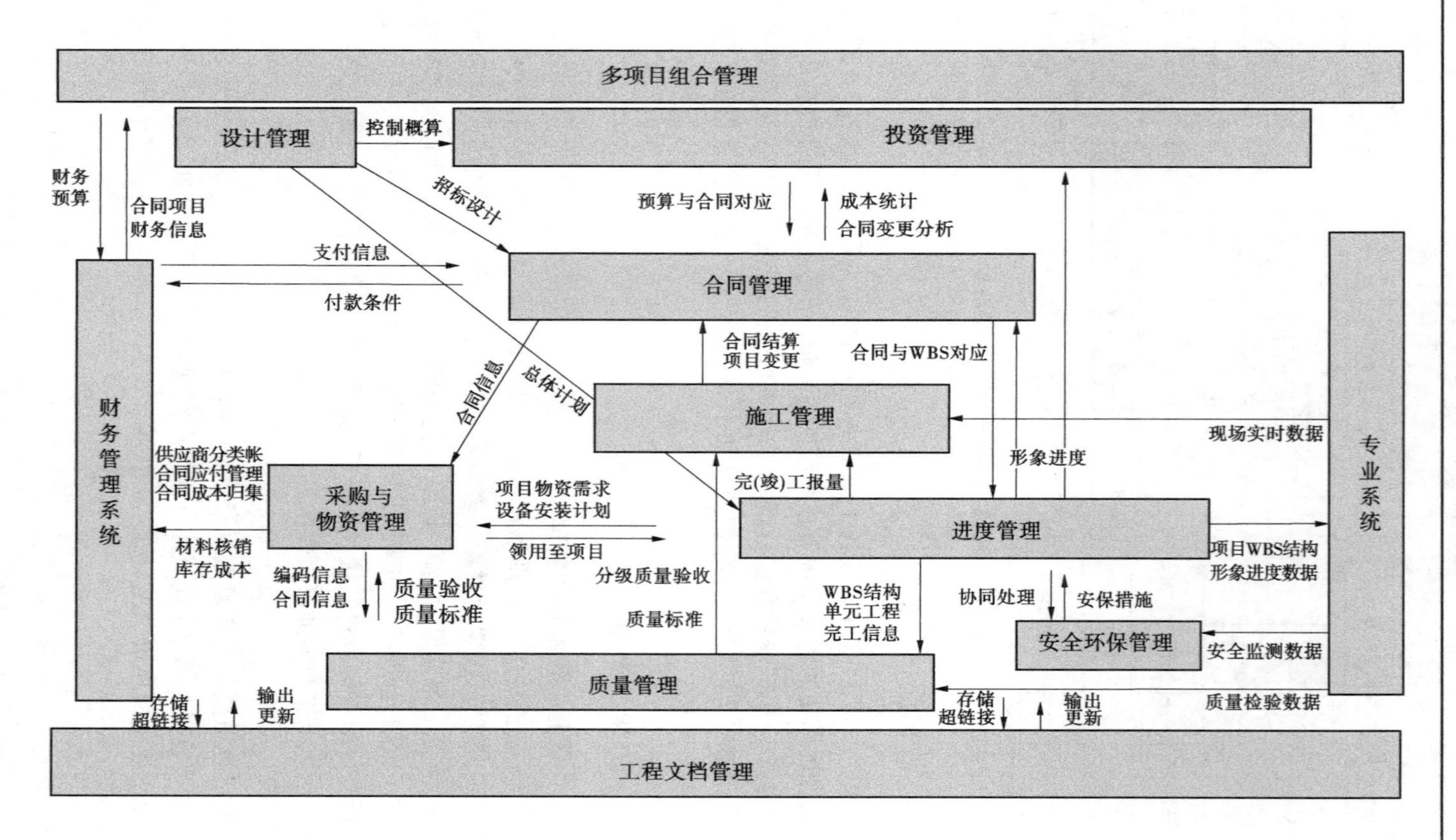

图 3-9　大藤峡工程建设项目管理系统各模块之间的数据流程关系

2. 合同管理

合同管理模块主要涵盖合同签订前的招标工作、合同基本信息维护以及合同签订、合同执行过程中的变更、工程过程中或竣工后的合同结算至支付的全过程管理。提供合同整篇导入功能,在特殊情况下能对合同进行修改,在合同变更各环节可调用查看。发起合同时可直接套用现有模板,并打印合同所有重要信息。提供招标文件标准化模板,通过简单选择或输入,形成定制化的招标文件初稿。

3. 进度管理

进度管理主要涵盖 WBS 分解、进度计划排程以综合协调设计、招标采购、施工和调试、项目关键路径分析、目标计划对比,以及根据各个 WBS 结构的总体进度,汇总、分析总体建设进度情况。

4. 采购与物资管理

采购与物资管理主要包括大藤峡工程机电设备、工程物资采购业务。按标准化流程,对物资设备的规格、数量、款项(预付款、分次付款)进行有效管理,实现对所有采购物资的分类汇总,实现对供应商的对比分析,供采购决策。

5. 施工管理

施工管理主要包括施工变更、工程报量、进度款申请、施工日志、周报、月报及现场管理等功能。提供与计合部、监理单位、承包商的功能接口,实现对投资、进度、质量的管控,推进施工合同的执行;提供现场施工检查和评定等移动采集上报功能,便于对工程现场施工进度的管控。

6. 质量管理

质量管理主要包括质量标准体系的建立、质量检查计划制订、设备质检、机电物资质检、质量缺陷处理、工程竣工验收和质量结构处理与反馈等功能。

7. 设计管理

设计管理支持大藤峡对委托设计、技术咨询、科研试验的相关单位进行前期规划、施工设计以及相应变更的全过程进行管理。提供对科研试验管理、重大专项管理和招标文件审查。

8. 安全管理

安全管理将日常安全管理与安全标准化工作关联,将安全检查管理与安全整改管理合并,实现以安全体系为基础、安全目标为中心,安全计划为龙头的工程建设安全闭环管理。它主要包括安全计划、安全检查、安全事故、安全整改、特种设备等。

9. 财务管理

财务管理主要包括工程预算管理、工程价款结算、费用支付、会计核算、固定资产和资金管理等,提供与计合部和移民部的功能接口,实现在工程款项付完自动生成报表,可根据概算,对年度预算与支付情况进行对比分析。

3.3.3.2 实时准确的信息支撑

信息是支撑系统发挥实效的基础。大藤峡工程建设管理需要实时准确的信息支撑,包括项目审批信息、规划设计成果信息、资质与资格管理信息、招投标管理信息、施工管理信息、合同管理信息、监理管理信息、机电物资信息、供应商信息、进度管理信息、概预算管理信息、质量管理信息、安全管理信息等,实现各类信息的互联互通和充分共享。

3.3.3.3 形象直观的可视化展示

工程建设项目管理系统需要通过一个可视化展示平台(工程建设管理子门户),对项目管理过程涉及的进度、投资、施工情况、项目 KPI 等进行综合展示,使用户无需在各个模块之间进行切换,就能获取各种工程建设管理的综合信息,实现信息资源的"一站式"服务。

3.3.4 接口需求

工程建设项目管理系统内部相关模块之间需要实现相互联系、协调工作;同时,与财务管理系统、移民管理系统、物资采购管理系统、档案管理系统、资产管理系统、门户网站、工程资金监管与审计免疫系统、水利安全监督管理系统等,需要开放接口,从数据、应用等不同层面,实现系统之间的集成和互为调用。

3.3.4.1 接口分类

本系统内部模块、系统用户(使用者)、外部系统之间的接口,主要包括以下几类:

(1)实时信息数据访问接口。

(2)基础信息数据汇集、访问接口。

(3)日常业务管理数据访问接口。

(4)用户认证接口。

(5)数据交换接口。

(6)信息发布接口。

3.3.4.2 接口类型

本系统的接口类型包括 Web Service 和 http 两种接口。

1. Web Service 接口

接口类型:Web Service。

地址:http://[host]:[port]/[context]/ws/uums? wsdl。

其中:

[host]:本系统或外部系统部署的 IP 地址;

[port]: 本系统或外部系统部署访问端口号;

[context]: 本系统或外部系统部署应用名称。

2. http 接口

接口类型:http 或 JSON。

地址:http://[host]:[port]/[context]/xxx. action。

其中:

[host]:本系统或外部系统部署的 IP 地址;

[port]: 本系统或外部系统部署访问端口号;

[context]: 本系统或外部系统部署应用名称。

3.3.5 性能需求

大藤峡工程建设项目管理系统是个大型的、专业性强的应用系统项目,因此应具有大型的信息化系统的常规性能要求,系统上线后,保证其用户数大于5 000 个,并发数大于 50。触发响应时间毫秒级。

大藤峡工程建设项目管理系统在其他性能方面需要具备“稳定性、可靠性、容错性、易维护性、安全性、易扩展性、开放性”。

3.3.5.1 系统稳定性

要求系统软硬件整体及其功能模块具有很高的稳定性,在各种情况下不会出现死机现象,更不能出现系统崩溃现象。

3.3.5.2 系统可靠性

要求系统数据维护、查询、分析、计算的正确性和准确性。

3.3.5.3 系统容错性

对使用人员操作过程中出现的局部错序或可能导致信息丢失的操作能推理纠正或给予正确的操作提示。系统平台软、硬件应有容错功能。

3.3.5.4 系统易维护性

要求系统的数据、业务以及数字地图的维护方便、快捷,基础设施设备易于管理。

3.3.5.5 系统安全性

要求保障系统数据安全、不易被侵入、干扰、窃取信息或破坏。系统的主机、网络有安全防护措施。

3.3.5.6 系统易扩展性

要求系统从规模上、功能上易于扩展和升级,应制订可行的解决方案,预留相应的接口,系统能够灵活扩展。

3.3.5.7 系统开放性

应遵循互联互通、资源共享等原则,系统需要保证足够等开放性,提供开放的接口;在操作方式、运行环境、与其他软件的接口以及开发计划等发生变化时,应具有良好的适应能力。

3.3.6 安全需求

鉴于大藤峡工程建设管理信息系统的重要性,把大藤峡工程建设管理信息系统定级为信息系统安全等级三级保护,按照等级保护三级进行防护建设。

为保证系统的安全运行,在系统遇到硬件损坏和软件系统崩溃故障时,能够有效地避免信息丢失和破坏,并尽快恢复系统的正常运行。系统安全需求有以下几个方面。

3.3.6.1 系统的物理安全防护

系统的物理安全包括电源供给、传输介质、物理路由、通信手段、电磁干扰屏蔽、使用设备的电磁兼容性、避雷方式、机房环境等安全保护措施。

3.3.6.2 网络设施的安全防护

网络安全主要是数据传输的安全、网络设备的安全、网络业务的安全、网络管理系统的安全,采用适宜的硬件防火墙、入侵检测系统、漏洞扫描工具来保障网络通信的安全性。

3.3.6.3 数据安全的防护

数据安全包括数据传输、存储、访问、处理的安全及灾难的备份,确保数据的完整性。对计算机病毒、恶意代码进行必要的安全防护;存储基本配置信息、用户信息、设备信息、权限信息、日志信息等重要信息等服务器,按照双机热备模式实现热切换。

3.3.6.4 身份认证与访问控制

使用系统的用户必须具有合法身份,身份由系统管理员赋予,确保只有通过身份认证的用户才能访问系统。在身份认证的基础上,根据用户的身份进行授权。用户操作必须拥有相应的权限,系统通过检查用户的权限实现访问控制。

3.3.6.5 安全管理制度

安全管理包括关键设备的管理、人员管理、机房管理等安全管理制度。

重点开展数字证书认证系统(CA系统)、用户管理系统、身份认证系统、区域边界防护、虚拟化服务器操作系统安全免疫、系统应用层面安全防护和系统安全整改咨询与测评建设。

第4章 系统总体设计

大藤峡工程建设管理信息系统是大藤峡信息化建设的重点与核心，将为大藤峡工程从项目策划到工程竣工以及工程运行期管理等各个阶段的业务管理过程，提供全面、科学的信息化支撑，为勘测、设计、监理、施工、科研、设备物资供应商等项目的参与各方搭建起集成的信息共享与工作协同平台，为高层管理提供量化的、可视化的决策支持。本系统的开发、应用、维护、优化完善等将贯穿大藤峡工程整个建设周期。

4.1 设计思路

基于成熟的工程建设项目管理系统和进度计划软件定制开发；采用联合开发、产权共享方式；强调用户参与，保证与业务系统集成；本系统开发完善是一个贯穿大藤峡项目始终的持续性项目，前期以专业公司建设为主，后期移交大藤峡管理。

本系统应充分利用云计算、大数据、仿真建模、移动互联等新兴技术，并在业务功能上弥补以往其他水利工程信息化建设过程中的不足，同时结合大藤峡工程项目管理的实际管理需求和特征，创新并快速地完成系统开发建设工作。

4.1.1 以计划为龙头

进度管理的理念就是以进度为主线进行综合计划管理，实现统筹和协调；不同的责任单位编制自己的计划，因其所处的管理层次不同、管理的宏微观差异，计划分为不同等级；不同级别计划之间有内在关联，并能够进行比较和分析。所有工作包括设计、采购、施工、各类管理工作等都需要提前做好集成计划，并明确不同类型工作接口，完成标准，实现项目管理各项工作有条不紊地开展。

业务计划围绕施工或设计等关键业务编制的主导计划开展，通过作业进度协调体系建立各种业务与主体计划的作业进度关联，从而使得各专业部门在统一的作业进度协调下协同工作；各业务基础管理元素与进度管理基础元素(作业工序)关联。进度计划软件作为国际上最先进的项目计划管理软件,将被作为基础软件包应用于辅助大藤峡开展工程计划与进度管理相关工作。因此,工程建设项目管理系统中的各业务管理模块均与进度计划软件有机结合,在各模块中可以体现作业进度对相应业务的时间要求,同样也可以监控相应业务处理对作业进度的制约。

4.1.2 以合同为主线,投资控制为目标

投资费用管理是项目管理工作的重点,系统不但使管理者能够记录合同的全面信息,而且能够记录合同执行的各项过程数据;将合同的执行与进度相关联,建立严格的合同防伪及支付审核机制;具有多维的费用控制体系,建立统一的企业或项目的费用科目,通过"费用分摊"建立费用科目体系与合同及其相关记录之间的对应关系,监控投资预算与合同消耗之间的差值,从而实现投资控制的根本目标;在总进度计划的基础上建立宏观的投资计划,将具有时间属性的合同执行计划转化为项目的资金需求计划,实现企业的现金流管理。

4.1.3 以质量安全为保障

将行业的质量和安全生产规范以结构化数据的形式,融入到工程建设项目管理系统中,同时联动工程计划与进度,形成动态的质量和安全管理计划,质量签证、安全防范监督,质量整改、安全事故处理以及相关的统计分析工作。通过可视化的手段将质量安全的工作变得更加主动,最大程度地降低事故发生概率。

4.1.4 赢得值思路贯穿项目全生命周期

在整个工程建设项目管理过程中,充分管理项目的进度、成本和质量,并将综合体现项目进度和成本执行绩效的赢得值(挣值)管理体系引入工程建设项目管理系统的建设过程中,提高项目管理和决策的科学性。

4.1.5 以电子认证体系应用为保障

建设功能完整、标准规范统一、系统可靠先进的电子认证体系(CA),解决单位各系统中存在的身份认证流程的严谨性,信息的机密性、完整性和不可抵赖性以及可信时间等方面的问题,实现应用系统用户信息资源共享和统一管理的电子政务安全支撑平台,确保业务操作的不可抵赖性;与外部机构或业务系统交互时,确保交互数据的安全性和不可抵赖性,确保交互电子合同、电子

档案等电子单证的合法性,实现全程无纸化。

4.1.6 以 BIM 应用和移动应用为创新

充分利用移动"互联+"技术优势,结合大藤峡工程管理实际情况,创新性地开发基于 BIM 搭建的工程数字化交付平台和移动 APP 应用,以可视化强、移动办公协同效率高等作为创新点,可帮助大藤峡业主实现工程建设及运维管理的数字化、远程化、可视化、智能化、移动化作业,辅助大藤峡工程建设项目管理的科学决策。

4.2 总体框架

通过对大藤峡价值链和业务模型的分析,大藤峡工程建设项目管理信息系统需要实现对水利枢纽工程建设全生命周期中的规划、设计、采购、施工、验收、移交等多个环节进行支撑和管理,并实现对大藤峡水利枢纽工程质量、进度、成本的控制。

大藤峡工程建设项目管理信息系统的总体框架,如图 4-1 所示,主要包括用户、综合门户、移动应用、应用系统、应用支撑、数据支撑、基础设施、标准规范体系和安全防护体系。

用户主要包括业主、设计、施工、监理、供应商等工程参建各方,为其提供协同工作平台,实现各专业业务的流程化、一体化管理。同时,对公众提供形象化及简易化的信息公开服务,不断增强公众对大藤峡公司的信任度和满意度,树立大藤峡公司良好形象。

综合门户主要包括管理驾驶舱、项目管理、移民管理、智能温控、水情测报、视频监控等栏目,将系统内的办公业务和信息服务集中到一个应用平台,通过单点登录,实现所有应用入口统一,并提供个性化的业务界面和结构清晰、内容可定制的信息服务,实现各类信息资源、各业务应用的集成与整合,达到信息资源的全方位共享。

移动应用主要包括事项待办、流程审批、业务工作台、关键绩效(管理驾驶舱)、移动采集、系统管理等栏目,支持主流的移动终端,实现核心业务的移动办理。

应用系统主要包括项目管理、业务管理和文档/知识管理三个层面,项目管理层体现项目管理基本理论,提供投资(成本)、进度、合同、质量、安全管理的功能,可对应成熟的项目管理软件。业务管理层体现水电开发工程行业与

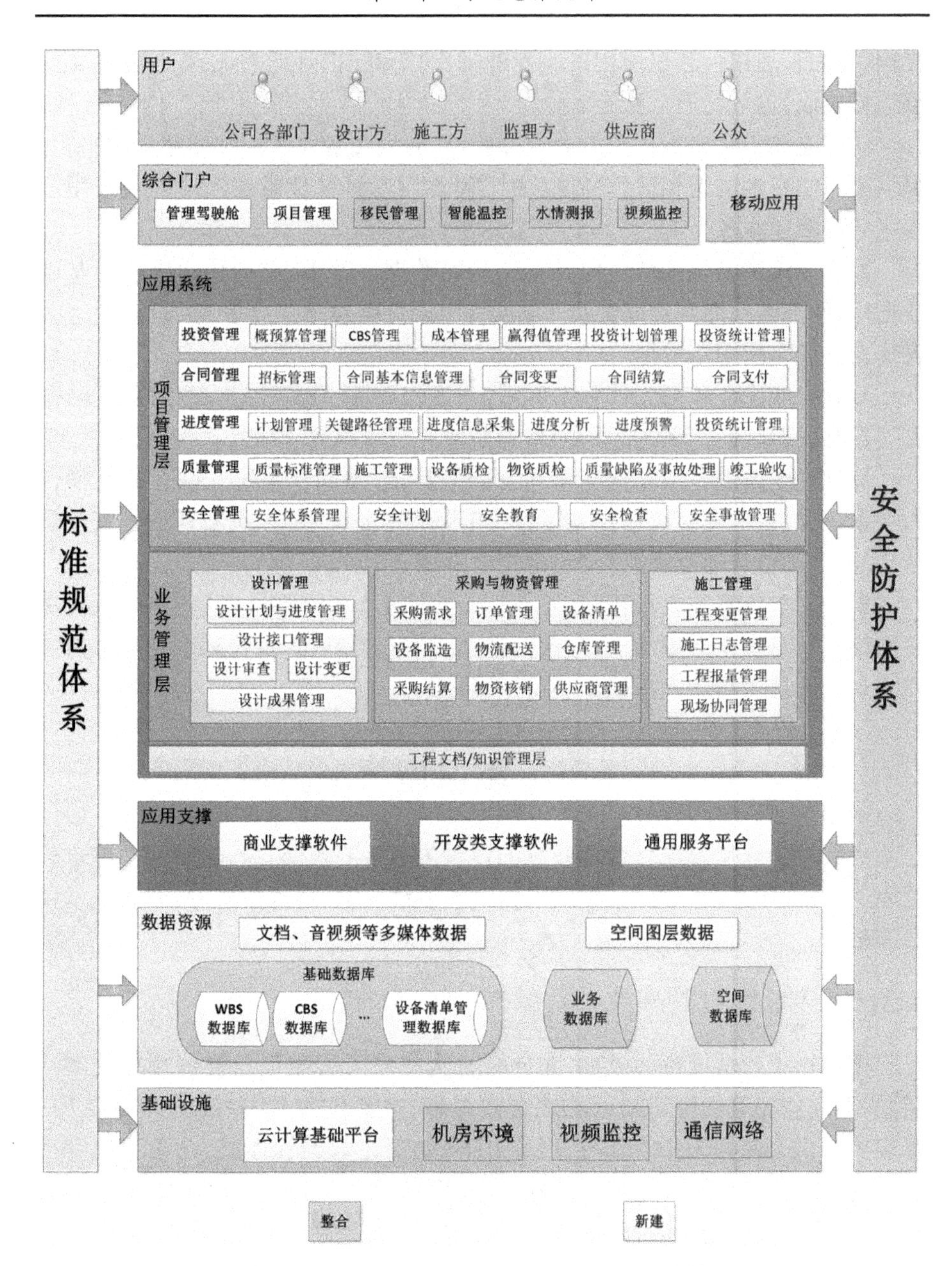

图4-1　大藤峡工程建设项目管理系统总体框架

EPC行业结合的特点，涵盖水电开发工程从设计、采购到施工管理的所有业务，并且体现大藤峡工程特有的一些管理特点，该层与项目管理层紧密耦合。

文档/知识管理层可独立采用一些专业的文档和知识管理系统,可与业务支持层进行集成,也可与OA系统集成。

应用支撑主要包括各类商业支撑软件、开发类支撑软件和通用服务平台,提供统一的技术架构和运行环境,为工程建设项目管理系统建设提供通用应用服务和集成服务。

数据资源主要包括结构化及非结构化数据。其中,结构化数据包括基础数据库、业务数据库和空间数据库;非结构化数据包括文档资料、音视频等多媒体文件和空间图层数据。

基础设施主要包括云计算基础平台、机房环境、视频监控、通信网络等,是支撑数据资源和应用系统运行的基础环境。

标准规范体系是信息化建设和发展的基础,是确保系统互联互通互操作的技术支撑,是信息化项目规划设计、建设管理、运行维护、绩效评估的管理规范,保障水利信息化健康、稳定和可持续发展。

安全防护体系主要是建立健全可靠可控的水利网络与信息安全体系,提高网络与信息安全保障水平,确保信息系统安全可靠运行,保障水利信息系统安全运行的技术与管理措施。

4.3 建设内容

大藤峡工程建设项目管理系统的建设内容主要包括工程建设管理综合数据库、业务应用系统、应用支撑、运行环境、系统安全、系统集成、培训及技术服务等部分。

4.3.1 工程建设管理综合数据库

根据相关技术规范和标准,充分结合大藤峡工程建设与管理业务的实际需要,建立和完善工程建设管理综合数据库,主要包括WBS(工作分解结构)管理类、CBS(成本分解结构)管理类、机电物资主数据管理类、设备清单管理类、供应商管理类、设计管理类、采购与物资管理类、施工管理类、技术咨询管理类、科研管理类、合同管理类、投资管理类、进度管理类、质量管理类、安全管理类、审计管理类、决策支持平台类、三维应用类等库表,实现系统数据的动态更新维护机制,为系统数据库扩展留有接口。同时,对各类工程资料进行收集、整理和入库。

4.3.2　业务应用系统

业务应用系统是工程建设管理的重要作业平台，主要包括投资管理模块、合同管理模块、进度管理模块、采购与物资管理模块、施工管理模块、质量管理模块、安全管理模块、设计管理模块、技术咨询管理模块、科研管理模块、审计管理模块、工程文档管理模块、综合门户模块、移动应用模块、BIM管理模块、三维应用模块。

4.3.2.1　投资管理模块

投资管理模块主要涵盖投资概算、项目预算的维护和核准，投资计划的编制、汇总平衡到审批、投资统计分析等；可以灵活定义层次化的费用科目，分包合同、进度款申请、采购合同能够把预算及核准后的金额分摊到费用工作表上；进行项目费用数据的横向对比分析。

4.3.2.2　合同管理模块

合同管理模块主要涵盖合同签订前的招标工作、合同基本信息维护以及合同签订、合同执行过程中的变更、工程过程中或竣工后的合同结算至支付的全过程管理。

4.3.2.3　进度管理模块

进度管理模块主要涵盖WBS分解、进度计划排程以综合协调设计、招标采购、施工和调试、项目关键路径分析、目标计划对比，以及根据各个WBS结构的总体进度，汇总、分析总体建设进度情况。在进度计划的执行过程中，进度数据的采集、进度分析和预警等，能够更有效地实现计划与进度的动态控制。

4.3.2.4　采购与物资管理模块

采购与物资管理主要涵盖大藤峡工程机电设备、工程物资采购业务，部分功能将扩展至工程发包、工程咨询、工程监理、工程监造、工程设计等。

4.3.2.5　施工管理模块

施工管理模块主要涵盖施工变更、工程报量、进度款申请、施工日志、周报、月报及现场管理等业务。

4.3.2.6　质量管理模块

质量管理模块主要涵盖质量标准体系的建立、机电物资质检、质量缺陷处理、工程竣工验收等业务。

4.3.2.7　安全管理模块

安全管理模块实现以安全体系为基础、安全目标为中心，安全计划为龙头的工程建设安全闭环管理。它主要包括安全计划、安全检查、安全事故、安全整改、特种设备等。

4.3.2.8 设计管理模块

设计管理模块支持大藤峡对委托设计的相关单位进行前期规划、施工设计以及相应变更的全过程进行管理。它包括设计进度计划管理、项目立项审批管理、设计接口管理、设计审查管理、设计变更管理、设计成果管理等功能。

4.3.2.9 技术咨询管理模块

技术咨询管理模块主要包括技术咨询申请和技术咨询审批,当项目遇到重大技术难题时,可定制技术咨询审批工作流,发起技术咨询申请。

4.3.2.10 科研管理模块

科研管理模块主要包括科研项目申请和科研项目审批,当需要对相关专业进行技术研究时,可定制科研项目审批工作流,发起科研项目申请。

4.3.2.11 审计管理模块

审计管理模块包括审计流程申请、审计流程审批核审计问题反馈,当项目审计过程中间出现问题时,可发送审计意见书到相关部门。相关负责领导可对批准审核,相关部门可对审计问题进行复核调整,并反馈整改情况。

4.3.2.12 工程文档管理模块

负责管理整个工程建设过程中的工程设计图档、档案资料、项目文档、往来文件、联系单等文档类数据。同时能够为业主、监理及各方参建单位提供一个统一的工程文档协同平台,满足工程建设过程中各协作单位之间工程文件的上传、审批、分发、版本管理、信息检索与查询等业务功能。提升工程文档信息及时性和准确性,提高沟通协同效率,并且该模块与档案管理系统存在数据交互接口。

4.3.2.13 综合门户

通过综合门户将首页、大藤峡工程建设项目管理系统、移民管理系统、智能温控系统、水情测报系统等多个系统的展现视图进行统一集成,为大藤峡公司各部门提供个性化管理信息的集中展示和管理工作的统一入口,为大藤峡公司各部门提供一个“一站式”的工作平台。利用综合门户分角色、分权限技术对不同用户分别展现不同的工程建设项目数据,包括个人工作中心、管理仪表盘、报表中心等内容。从决策分析的视角对业务数据进行整合和加工,实现各种方式的灵活查询和数据分类汇总,能够以多种形式表现数据,并能快速地按照业务人员的需求进行功能扩充。

4.3.2.14　移动应用模块

支持IOS及Android两个移动设备平台，具备事项待办、流程审批、业务工作台、关键绩效展示（管理驾驶舱）、移动采集、系统管理等功能，同时集成移民、水文测报、智能温控等业务系统。

4.3.2.15　BIM管理模块

采用BIM技术，开展项目规划、勘察、设计、施工、质量管理等方面的技术应用，结合BIM建模，实现工程建设的成本和进度、质量、安全控制等方面的可视化、虚拟化的协同管理。

4.3.2.16　三维应用模块

采用组件化智能三维模型，开展大坝工程、工程建设管理相关进程的三维可视化展示，实现将实时监测和监控信息与三维模型进行集成，提供三维计算对比分析。

4.3.3　应用支撑

应用支撑平台提供统一的技术架构和运行环境，为工程建设项目管理系统建设提供通用的应用服务和集成服务，主要包括各类商业支撑软件、开发类支撑软件和通用服务平台。

4.3.4　运行环境

运行环境由通信网络、服务器与存储、机房等组成，重点开展服务器与存储部分的云计算基础平台建设。

4.3.5　系统安全

按照信息系统等级保护三级安全标准开展大藤峡工程建设项目管理系统的信息安全体系建设，包括物理环境、网络平台、计算环境、应用和管理等方面。重点开展数字证书认证系统（CA系统）、用户管理系统、身份认证系统、区域边界防护、虚拟化服务器操作系统安全免疫、系统应用层面安全防护和系统安全整改咨询与测评建设。

4.3.6　系统集成

系统集成包括系统与进度计划商业软件集成、系统内部应用集成，身份认证、财务管理、移民管理、智能温控、视频监控等其他外部应用系统之间的集成。

4.3.7 培训及技术服务

培训及技术服务主要是进度计划软件原厂服务，后续业务系统新增功能模块扩展开发，年度技术支持服务、系统升级完善、应急响应、操作培训等。

4.4 系统层次划分

大藤峡工程建设项目管理系统层次划分为基础数据层、生产支撑层、经营管理层和接入/数据展现层，具体层次划分如图 4-2 所示。

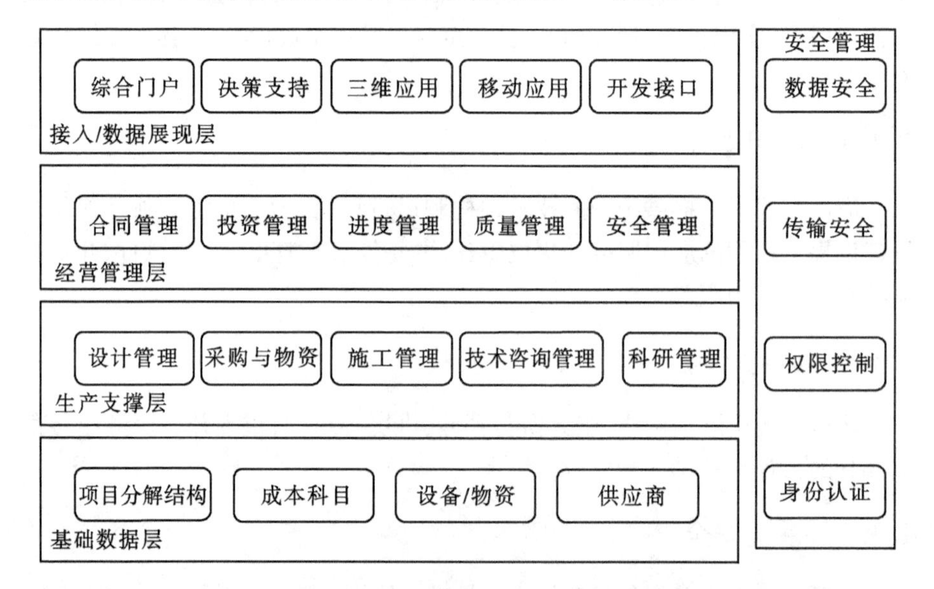

图 4-2 大藤峡工程建设项目管理系统层次划分

(1)基础数据层。提供基础的项目、成本分解、物资和供应商数据，包括项目分解结构管理、成本科目管理、设备物资主数据、供应商管理。

(2)生产支撑层。提供对工程项目管理的主要业务的支撑，设计管理、施工管理、采购与物资管理，提供标准的质量/安全定义和任务下发。

(3)经营管理层。提供工程项目管理的主要业务功能，包括合同管理、投资管理、进度管理、质量管理和安全管理。

(4)接入/数据展现层。提供工程项目数据的入口、展示和接口，包括综合门户、决策支持、三维显示、移动应用、开发接口。

(5)信息安全保障系统的访问安全、数据安全和传输过程的安全,包括身份认证、权限控制、数据传输安全、数据内容安全。

4.5　系统集成关系

4.5.1　整体集成关系

工程建设项目管理系统从应用软件层面将涉及界面展现集成、应用集成和数据集成,从整个项目体系层面涉及新增服务器、存储设备与已建项目已有设备的调试和集成。同时系统与进度计划软件、已建业务应用系统(办公系统、财务软件、门户网站)、近期将建的应用系统(视频监控系统、智能温控系统、移民管理系统、水情测报系统)之间还需要进行数据整合和业务流程的交互。

工程建设项目管理系统各主要模块之间以及未来与其他系统之间的集成关系,如图4-3所示。通过各系统的集成实现流程和信息的流转,提高业务处理的效率。

4.5.2　本系统内部之间的集成关系

大藤峡工程建设管理系统中的设计管理模块、施工管理模块、进度管理模块、合同管理模块、质量管理模块、安全管理模块、投资管理模块、采购与物资管理模块、文档管理模块之间存在着集成关系。工程建设项目管理系统内部相关模块之间的集成,要求实现互联互通、互为调用和"一站式"登录访问。

4.5.3　本系统与其他系统之间的集成关系

工程建设项目管理系统与财务管理系统、移民管理系统、智能温控系统、水情测报系统、办公系统、物资采购管理系统、档案管理系统、工程视频监控系统、资产管理系统、统一身份认证、门户网站、工程资金监管与审计免疫系统等存在数据交互集成。

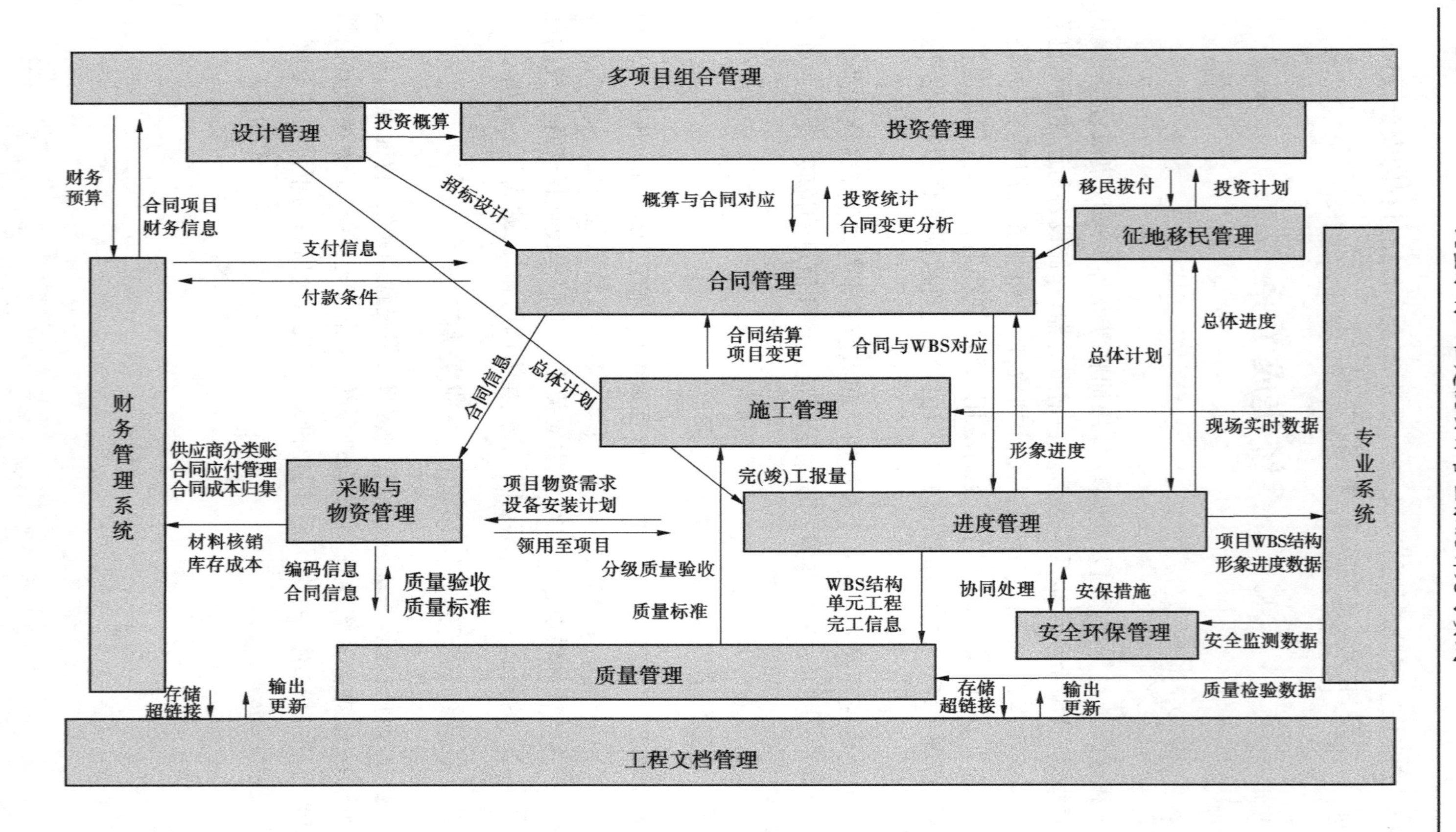

图 4-3 大藤峡工程建设项目管理系统整体集成关系

4.6　安全体系

鉴于大藤峡工程建设管理信息系统的重要性,把大藤峡工程建设管理信息系统定级为信息系统安全等级三级保护,大藤峡工程建设管理信息系统按照三级进行防护建设。

参照国内外相关标准,并结合大藤峡公司已有网络与信息安全体系建设的实际情况,最终形成依托于安全保护对象为基础,纵向建立安全管理体系、安全技术体系、安全运行体系和安全管理中心的“三个体系、一个中心、三重防护”的安全保障体系框架。

“三个体系”:信息安全管理体系、信息安全技术体系和信息安全运行体系,把等级保护基本要求的控制点结合大藤峡公司实际情况形成相适应的体系结构框架。

“一个中心”:信息安全管理中心,实现“自动、平台化”的安全工作管理、统一技术管理和安全运维管理。

“三重防护”:安全计算环境防护措施、安全区域边界防护措施和安全网络通信防护措施,把安全技术控制措施与安全保护对象相结合。

按照信息系统等级保护三级安全标准开展大藤峡工程建设项目管理系统的信息安全防护建设,包括物理环境、网络平台、计算环境、应用和管理等方面。重点开展数字证书认证系统(CA系统)、用户管理系统、身份认证系统、区域边界防护、虚拟化服务器操作系统安全免疫、系统应用层面安全防护和系统安全整改咨询与测评建设。

第5章 建设方案

5.1 功能结构

大藤峡工程建设项目管理系统的建设内容主要包括工程建设管理综合数据库、业务应用系统、应用支撑、运行环境、系统安全、系统集成、培训及技术服务等部分。

5.1.1 工程建设管理综合数据库

根据相关技术规范和标准,充分结合大藤峡工程建设与管理业务的实际需要,通过对各类工程资料进行收集、整理和入库,建立和完善工程建设管理综合数据库,实现工程建设业务数据的动态更新维护。

5.1.2 业务应用系统

业务应用系统是工程建设管理的重要作业平台,主要包括投资管理模块、合同管理模块、进度管理模块、采购与物资管理模块、施工管理模块、质量管理模块、安全管理模块、设计管理模块、技术咨询管理模块、科研管理模块、审计管理模块、工程文档管理模块、综合门户模块、移动应用模块、BIM 管理模块、三维应用模块。

5.1.3 应用支撑平台

应用支撑平台提供统一的技术架构和运行环境,为工程建设项目管理系统建设提供通用应用服务和集成服务,主要包括各类商业支撑软件、开发类支撑软件和通用服务平台。

5.1.4 运行环境

运行环境由通信网络、服务器与存储、机房等组成,重点开展服务器与存储部分的云计算基础平台建设。

5.1.5　系统安全

按照信息系统等级保护三级安全标准开展信息安全体系建设，包括物理环境、网络平台、计算环境、应用和管理等方面。重点开展数字证书认证系统（CA系统）、用户管理系统、身份认证系统、虚拟化服务器操作系统安全免疫、系统应用层面安全防护和系统安全整改咨询与测评建设。

5.1.6　系统集成

系统集成包括系统与进度计划商业软件集成、系统内部应用集成，身份认证、财务管理、移民管理、智能温控、视频监控等其他外部应用系统之间的集成。

5.1.7　培训及技术服务

培训及技术服务主要是进度计划软件原厂服务，后续业务系统新增功能模块扩展开发，年度技术支持服务、系统升级完善、应急响应、操作培训等。

其功能结构如图5-1所示。

5.2　工程建设管理综合数据库

5.2.1　数据建库

参考国家及相关行业数据库结构标准，建设大藤峡工程建设管理综合数据库。

工程建设管理综合数据库主要包括基础数据库、业务数据库、空间数据库、多媒体数据库、模型库、方法库、知识库等。

（1）基础数据库。包括WBS（工作分解结构）管理数据库、CBS（成本分解结构）管理数据库、机电物资主数据管理数据库、设备清单管理数据库和供应商管理数据库。

（2）业务数据库。主要涵盖设计管理信息、采购与物资管理信息、施工管理信息、技术咨询管理信息、科研管理信息、合同管理信息、投资管理信息、进度管理信息、质量管理信息、安全管理信息、审计管理信息、决策支持平台信息、门户集成支撑信息、BIM管理应用信息、三维应用信息等数据。

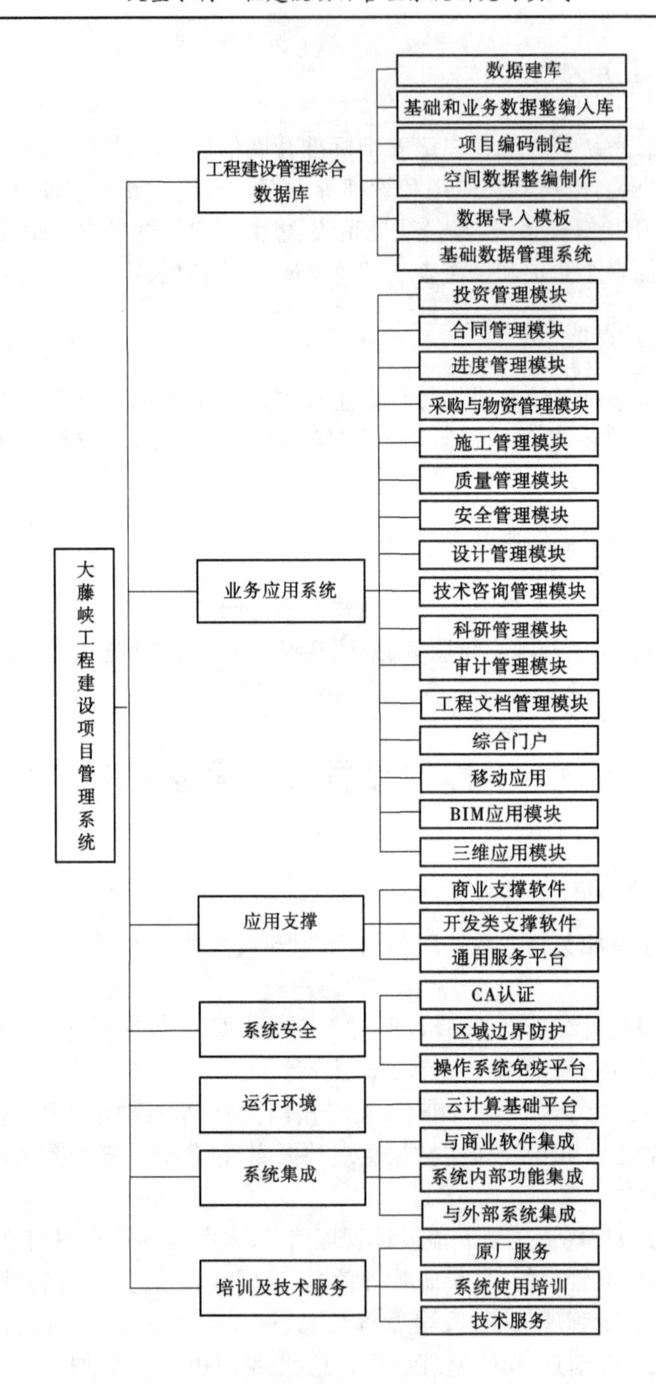

图5-1 大藤峡工程建设项目管理系统功能结构

(3)空间数据库。主要包括矢量、遥感、影像、地形、建模等相关空间属性信息。

(4)模型库。主要包括相关预测、预报、优化、调度、分析、决策等相关数字模型的相关参数、边界、结果等信息。

(5)方法库。是为各种模型的求解分析提供必要的算法以及为用户的决策活动提供所需的方法。

(6)知识库。是建立结构化的工程建设管理强制性标准、行业规范及历史经验数据,还包括针对某一决策问题的解决分析过程信息。

5.2.2 资料收集整编入库

5.2.2.1 数据收集整编内容

水利工程建设管理数据收集整编的主要内容包括:WBS(工作分解结构)管理信息、CBS(成本分解结构)管理信息、机电物资主数据管理信息、设备清单管理信息、供应商管理信息、设计管理信息、采购与物资管理信息、施工管理信息、技术咨询管理信息、科研管理信息、合同管理信息、投资管理信息、进度管理信息、质量管理信息、安全管理信息、审计管理信息、决策支持平台信息、三维应用信息、模型库、方法库和知识库等。

(1)WBS(工作分解结构)管理信息。一级 WBS、二级 WBS、无线分层、任务类型、关键任务支持、里程碑、WBS 与合同对应、WBS 调整等信息。

(2)CBS(成本分解结构)管理信息。成本要素分解、成本要素与科目的对应、财务预算支持等信息。

(3)机电物资主数据管理信息。机电物资类别管理、机电物资主信息、机电物资管理、设备内外部编号等信息。

(4)设备清单管理信息。设备清单维护、项目的设备清单、设备安装计划与设备清单的对应、对质量管理的支持、对设备监造的支持、设备设计单位、监造单位工作界面等信息。

(5)供应商管理信息。统一的供应商管理基本信息,供应商关系维护及变更信息,供应商状态、临时供应商、供应商寻源信息,供应商资格预审、合格供应商、供应商评价、供应商接口、供应商分析等信息。

(6)设计管理信息。设计计划管理、设计进度管理、审查申请、审查过程管理、审查意见管理、基础数据管理、图档管理、设计变更申请、设计变更审批、设计变更执行等信息。

(7)采购与物资管理信息。采购需求管理、采购订单管理、物流配送管理、采购结算管理、设备监造、仓储管理、物资扣款与核销等信息。

(8)施工管理信息。工程变更管理、施工日志管理、工程报量管理、现场协同管理等信息。

(9)技术咨询管理信息。技术咨询申请、技术咨询审批等信息。

(10)科研管理信息。科研项目申请、科研项目审批等信息。

(11)合同管理信息。招标管理、合同基本信息管理、合同变更管理、合同结算管理、合同支付管理等信息。

(12)投资管理信息。概预算管理、项目成本管理、项目赢得值管理、投资计划管理、投资统计管理等信息。

(13)进度管理信息。进度计划管理、进度信息采集、关键路径管理、进度分析、进度预警管理等信息。

(14)质量管理信息。质量标准管理、设备质检管理、物资质检管理、施工质检管理、质量缺陷及事故管理、竣工验收管理等信息。

(15)安全管理信息。安全体系管理、安全目标管理、安全计划管理、安全检查管理、安全日常事务处理、安全事故管理、安全整改管理、安全奖惩管理、特种设备管理、安全培训管理、供应商安全负责人员管理等信息。

(16)审计管理信息。审计项目申请、审计项目审批、审计问题反馈等信息。

(17)决策支持平台信息。指标管理、报表管理、报表输出、模型库、方法库、知识库、智能分析等信息。

(18)三维应用信息。数据模型设计与建库、三维场景配置与发布、工程组件化三维模型、三维系统基础操作、组件化三维建模的项目管理、实施监测信息集成与查询、三维计算与对比分析等信息。

(19)模型库。数字模型调用接口、参数、边界条件、调整系数、基础数据、计算结果等。

(20)方法库。各种优化方法、预测方法、统计方法、对策方法、风险方法、矩阵方程求解等。

(21)知识库。结构化的工程建设管理强制性标准、行业规范及历史经验数据库。

5.2.2.2　数据收集、整编、入库方式

数据收集、整编、入库方式包括前期准备、数据收集、数据整编、数据审查与汇编、数据入库、审查及复审、评审及验收等,并通过邀请大藤峡公司相关管理部门参与审查、评审环节,确保入库的数据质量。

根据收集、整编与录入的原始数据资料类型确定不同的处理方式，具体如表5-1所示。

表5-1　原始数据资料类型与处理方式

序号	原始数据类型	数据格式	处理方式	备注
1	已有业务电子文件资料	Word文件、Excel文件、文本文件、CAD文件、录像带、多媒体电子文件等	(1)确定各类信息提交的格式要求； (2)对电子文件资料进行完整性、正确性的甄别、校核、审定、补充完整等整编工作，并将其调整为所要求的格式； (3)按规范整编成果； (4)整编成果入库； (5)核对、审核信息	
2	图纸资料	CAD文件、纸质工程图纸	(1)确定各类信息提交的格式要求； (2)对电子文件资料进行完整性、正确性的甄别、校核、审定、补充完整等整编工作，并将其调整为所要求的格式； (3)按规范整编成果； (4)整编成果入库； (5)核对、审核信息	纸质工程图先进行数字化处理
3	纸质文件		(1)将纸质文件形成电子文本文件； (2)按照电子文件的处理方式进行处理	对于个别特殊纸质文件直接录入

数据整编入库基本流程如图5-2所示。

1.前期准备工作

(1)按照工程建设管理基本信息的收集整编范围和要求，对大藤峡工程建设管理的基本信息进行分类，列出本项目需要收集的工程建设管理基本信息详细清单，编制《大藤峡工程建设管理基本信息收集整编入库的工作大纲》。

(2)确定要收集工程建设管理基本信息的清单。

(3)根据工程建设管理基本信息清单，按照类别分别打印工程建设管理基本信息收集表(数据收集表按照工程建设管理基本信息库表结构内容编制)。

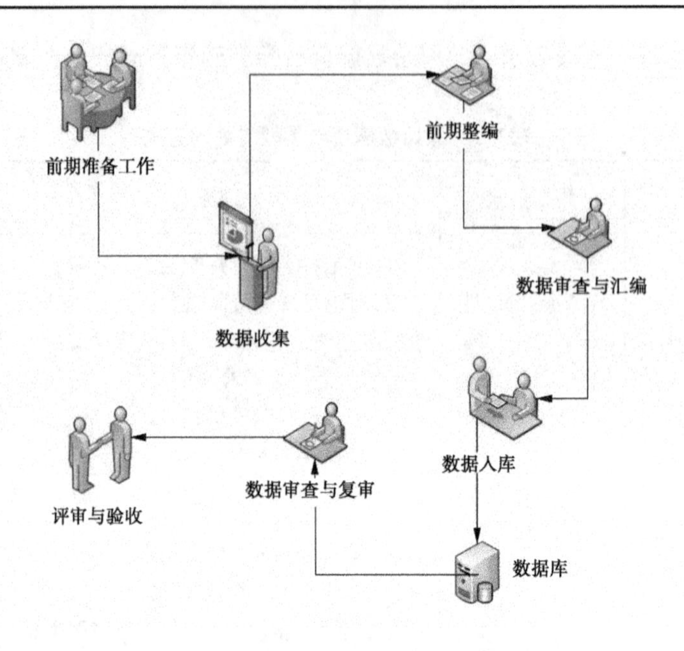

图 5-2 数据整编入库基本流程

2. 数据收集

把编制好的《工程建设管理基本信息整编表》分发到大藤峡公司相关部门,待公司相关部门对材料有一定了解后,组织数据收集人员到现场进行资料收集。

3. 数据整编

对收集到的工程建设管理基本信息进行验证、审核和必要的考证,同时整编成册,形成《工程建设管理基本信息整编成果》。工程建设管理基本信息建议用 Excel 格式保存,以便利用数据导入工具进行批量导入。

4. 数据审查与汇编

通过联机审查和脱机审查等方式,对《工程建设管理基本信息整编成果》进行审查和核对,同时分类汇编审查成果。

5. 数据入库

开发数据入库模板如 Excel 工具,配合手动录入,实现数据入库和数据的电子结构化管理;利用数据导入工具对《工程建设管理基本信息整编成果》成批导入或逐条输入的方式进行数据入库,最终形成《工程建设管理基本信息录入成果》。

6. 数据审查与复审

把《工程建设管理基本信息录入成果》给主要职能部门进行审查,以确定成果的有效性。审查成果时可采用随机抽查的方式实现。

5.2.3　项目编码制定

项目编码是工程计划、组织、控制和交换的基础，项目编码涵盖工程中涉及的全部编码类型。

项目编码应结合国内已建水利枢纽工程项目管理系统的项目编码规范标准，开展大藤峡工程建设项目编码制定。

项目编码包括通用编码、实体编码、专用工程编码、功能编码。

(1)通用编码。包括统计指标编码、状态编码、计量单位编码、合同类型编码、专业编码等。

(2)实体编码。包括员工编码、组织机构(部门)编码、供应商编码等。

(3)专用工程编码。包括工程总清单、子工程、子工程阶段、施工包(CWP)总清单、成本控制拨款(CCA)、计划执行包(PEP)、业主成本账目(AFE)总清单等。

(4)功能编码。用于支持工程的定义和执行，包括概预算编码、设备编码、物资编码、设计工作分解编码、文件编码、图号编码、合同编码、质量检测指标编码等。

5.2.4　空间数据整编制作

空间数据整编制作包括库区矢量、影像、遥感等空间基础数据标定复核整编和工程建设专题数据制作。

5.2.4.1　空间基础数据标定复核整编

在珠江水利委员会已建的决策支持数据中心的空间数据(矢量、影像)和第一次全国水利普查空间数据基础上，结合广西区国土部门提供的基础地理空间数据，对库区矢量、影像、遥感、数字高程等基础地理空间信息进行更新标定完善。

5.2.4.2　工程建设专题数据制作

对设计单位提供的设计图纸进行数字化处理，把不同坐标系和高程基准的空间信息转换到统一的坐标系和高程基准，形成工程建设空间专题图层数据。

5.2.5　基础数据管理模块

基础数据管理模块包括 WBS(工作分解结构)管理、CBS(成本科目结构)

管理、机电物资主数据管理、设备清单管理、供应商管理等,如图 5-3 所示。

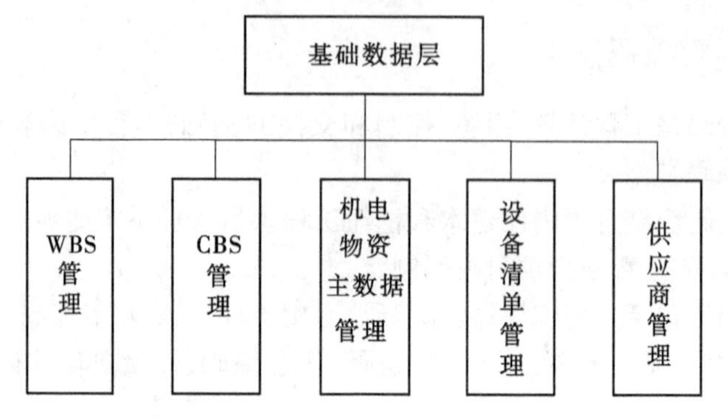

图 5-3　基础数据管理模块功能结构

5.2.5.1　WBS(**工作分解结构**)**管理**

(1)一级 WBS。支持对项目群(整个水电工程)分解,编制一级 WBS,最明细到分部、分项工程。

(2)二级 WBS。支持对合同项目按一级 WBS 扩展成二级 WBS,最明细到单元工程的工序。

(3)无限分层。支持 WBS 任务可以无限分层。

(4)任务类型。支持按 WBS 任务层次限定类型,比如单位工程、分部工程、分项工程、单元工程等。

(5)关键任务。支持设定 WBS 的关键路径;指定具体任务是否属于关键任务;对于关键任务,在甘特图上有不同显示。

(6)里程碑。支持设定 WBS 任务的里程碑;对于里程碑的任务,在甘特图上有不同显示。

(7)WBS 与合同对应。支持将总体 WBS 任务与合同工程量清单层次设定一一对应关系;为招标以及合同签订提供依据。

(8)WBS 调整。支持在分标设计时 WBS 的调整。

5.2.5.2　CBS(**成本科目结构**)**管理**

(1)成本要素分解。支持对构成项目成本的要素进行分解,比如顶层分成人工成本、分包成本、机械设备成本、材料成本、公摊成本等,然后层层分解至最明细的成本支出项。

(2)成本要素与科目的对应。支持将财务管理中的科目与 CBS 中的成本支出项进行关联,允许多个成本支出项对应一个科目,也支持一个成本支出项对应到一个科目,成本支出项至少与最明细科目一致,甚至可以比明细科目更明细一层。

(3)财务预算的支持。支持将概算明细项与CBS结构中的底层成本支出项进行关联,为财务预算的编制提供直接依据。

5.2.5.3　机电物资主数据管理

(1)机电物资类别管理。机电物资目录类别管理;机电物资目录模块可以按照机电物资性质、机电物资所属的类别管理商品;支持各种不同类型的机电物资分类模式,可以对各种分类方式进行统一管理;在系统中形成树状目录结构,可以灵活的添加或删除类别。

(2)机电物资主信息。主要包括机电物资的属性信息如商品名称、产品型号、产地、供应商、所属分类、功能等。

(3)机电物资管理。对编码进行管理;要求系统生成设备、材料或服务的基础数据,并支持对这些基础数据的进一步维护;要求在系统中维护物料分类,每种分类有特定的技术参数组,每个技术参数具有特定的技术参数值,每个物料可以维护其分别的技术参数值;要求能支持基础数据的模糊查询(比如查询某类设备)、分类查询(比如查询所有的设备、材料、办公设备等)。

(4)设备的内外部编号管理。支持设备编号的内部管理和外部的双码管理方式。

5.2.5.4　设备清单管理

(1)设备清单维护。系统支持对设备产品按层次展开维护设备清单(Bill of Equipment,BOE),下属各层次的组件设备上要维护设备属性,包括设备的厂商编号、是否安装、安装顺序、尺寸参数;是否发运、发运要求、是否需要检验等。

(2)项目的设备清单。支持按合同项目维护设备清单,比如同一种设备产品在不同的合同项目中其设备清单有差异,增强可配置性。

(3)设备安装计划与设备清单的对应。支持在项目计划管理中能将机械设备的安装工程WBS计划与设备清单具体的组件设备进行关联,从而实现在设备的安装计划排程。

(4)对质量管理的支持。支持与质量管理模块的集成,质量标准要针对设备清单上各设备组件进行设置。

(5)对设备监造的支持。设备监造以设备清单为基础,设备监造开始前提是该项设备已经维护在该清单中。

(6)设备设计单位、监造单位工作界面。提供设备设计阶段的维护界面,可供设计单位或者监造单位登录后进行操作和更新。

(7)第三方系统接口。提供与外部系统的接口,允许设计单位第三方系统导出的设备清单数据能否导入至本系统,自动生产可供使用的设备清单。

5.2.5.5 供应商管理

(1)统一的供应商管理。规范并建立统一的供应商信息管理平台,包括设计、监理等咨询类供应商、工程承包供应商、物资和机电供应商、其他采购类供应商。

(2)基本信息。建立供应商档案,包括供应商类型、编号、名称、联系人、联系方式、银行账户、资质等详细资料。

(3)供应商关系维护。支持供应商父子关系(如集团公司和分公司)的建立以及供应商之间的合并。

(4)信息变更。支持供应商相关信息的变更和维护,需保留历史记录。

(5)供应商状态。支持对供应商状态进行控制,如冻结、失效、批准等。

(6)临时供应商。可以设定一次性供应商用支持零星或临时性采购而又不需要独立辅助核算的业务。

(7)供应商寻源信息。支持建立供应商与提供服务或产品之间的联系,为招标和寻源管理提供依据。

(8)供应商资格预审。供应商通过在线注册,并通过基本信息有效性的过滤后,由采购综合组人员发起供应商的资格预审流程。

(9)合格供应商。支持合格供应商审核流程,能够定义合格供应商库。

(10)供应商评价。支持对供应商进行评价或考评,能查询到年度或季度的评价历史记录。

(11)供应商接口。提供供应商数据的成批导入接口,支持用合乎规范的Excel 表格直接导入数据。

(12)供应商分析。提供多种供应商数据分析报表,支持直接导出 Excel表格。

5.2.5.6 项目编码管理

提供项目编码结构模板定义功能,用户可以自行定义项目编码的层次、长度、编码、编码名称等。

5.3 应用系统

5.3.1 投资管理模块

大藤峡工程建设项目管理信息系统的投资管理模块主要涵盖投资概算、

项目预算的维护和核准,投资计划的编制、汇总平衡到审批、投资统计分析等,功能结构如图 5-4 所示。

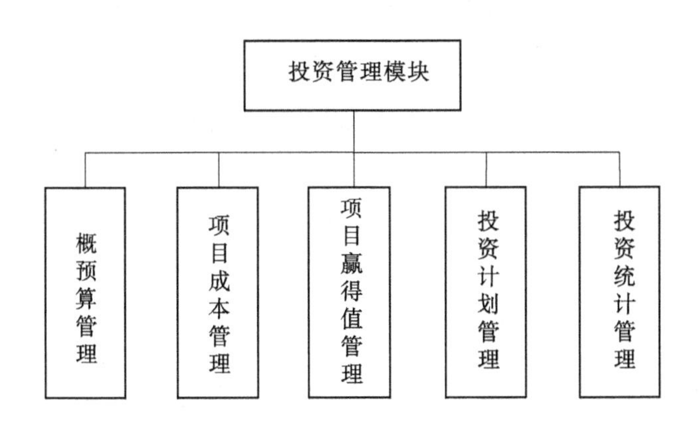

图 5-4　投资管理模块功能结构

大藤峡工程建设项目管理信息系统的投资管理模块主要包括以下功能组:

(1)概预算管理。支持对多种工程概预算的管理,包括设计概算、分标概算、管理预算等。

(2)CBS 管理。建立概算与财务成本核算的集成关系。

(3)投资计划管理。大藤峡年度投资计划编制、汇总平衡再审批的过程。

(4)成本管理。投资统计的核心功能,必须能实时收集所有工程相关的动态成本,满足多维度的统计分析的需求。

(5)赢得值管理。用进度数据、成本数据、概预算数据分析项目赢得值,为后续投资计划服务。

本模块与合同管理模块、进度管理模块、财务管理系统都有集成关系:

(1)与合同管理模块的集成关系。合同管理模块中合同相关数据(合同签订、变更、结算、支付等)会集成至成本管理,成为投资统计的最基础资料。

(2)与进度管理模块的集成关系。进度管理为赢得值管理提供工程实际进度数据,同时进度管理为年度投资计划编制提供时间维度的数据。

(3)与财务管理系统的集成关系。财务科目为编制 CBS 服务,财务的预算数据能从投资概算中集成;同时与财务资金管理集成,以便对资金计划进行管理。

5.3.1.1 概预算管理

1. 多套概算编制

支持对项目编制总体概算，而且是多套概算，比如估算、设计概算、分标概算等。

2. 概算之间对比分析

系统支持可选择多套概算进行比较分析，实现纵向和横向对比。

3. 概算与合同对应

支持概算能按照成本分解结构（CBS）分层体现，概算的 2 级项目要与合同的单位工程实现对应。

4. 项目预算的多维度

支持对每一个合同项目进行成本预算（管理预算）编制，可以按照公司统一制定的各类项目分解结构 WBS 执行层层分解，还能按成本分解结构（CBS）的成本支出项进行分解。

5. 概预算的自动调整

已经审批通过的项目变更费用能对合同项目预算产生自动调整。

6. 审批工作流

提供可定制的审批工作流，为每一种概算、预算定制适合大藤峡业务规则的审批流程，实现从编制到提交到审批的过程。

7. 版本控制

提供项目概预算的版本管理，可以查询到核准版本、历史版本，版本之间可以进行比较差异分析。

5.3.1.2 项目成本管理

1. 实际成本收集

支持对每一个合同项目成本的自动收集，收集所有合同项目的每一笔项目成本发生的时间、对应的 WBS 任务、对应的 CBS 成本支出项、数量、金额等信息。

2. 合同变更的体现

项目变更得到监理和业主的审批后，反映至合同变更中，所有的合同变更或采购订单变更都要及时反映到项目承诺成本的变更上，作为动态成本的体现。

3. 成本分摊

支持将需要公摊的成本在多个合同项目之间进行分摊，可以定义灵活的成本分摊规则，比如按照待摊项目各自的实际成本金额比例分摊，或者按照人工输入的分摊因子分摊等。

4. 多维度成本分析

系统能提供每一个项目成本分析的报表，能按照多维度分析，分别得到成本支出项（科目明细表级）维度、WBS维度的项目成本数据，也支持按照以上三种维度进行多维度综合分析。

5. 投资汇总分析

系统支持对整个工程汇总所有项目成本数据，分别得到该工程成本支出项（科目明细表级）等多维度的投资成本。

6. 概预算与投资对比分析

支持概预算与投资成本之间的对比分析，可以按照成本支出项（科目明细表级）维度、WBS维度分别对比预算和实际发生数，给成本控制提供最明细的数据。

5.3.1.3 项目赢得值管理

1. 进度百分数统计

支持统计合同项目实际完成进度百分数以及整个工程的实际完成进度百分数。

2. *BCWS*

支持按进度百分数计算计划工作量预算费用（*BCWS*）。

3. *BCWP*

支持按进度百分数计算已完成工作量的预算成本（*BCWP*）。

4. *ACWP*

支持统计已完成工作量的实际费用（*ACWP*）。

5. 性能指标的计算

支持如下性能指标的计算：

$$成本性能指数(CPI) = \frac{BCWP}{ACWP}$$

$$进度性能指数(SPI) = \frac{BCWP}{BCWS}$$

6. 项目结束时所需预算的估计

$$完成预算估计(EAC) = \mathrm{sum}(ACWP) + \frac{BAC - \mathrm{sum}(BCWP)}{CPI}$$

7. 图形化显示

系统能按照项目赢得值管理模型图显示合同项目以及整个工程的赢得值

图形。

5.3.1.4　投资计划管理

1. 投资计划编制

系统能够建立项目年度投资计划的编制、提交、汇总平衡到审批的全过程。

(1)分部门编制。为各部门上报年度投资计划提供工作界面,登陆界面后可以根据用户自动显示哪一个部门编制的计划。

(2)分月度编制。年度投资计划由每个自然月的投资计划构成,每个投资细项跟概算明细项对应。

2. 投资计划审批

定制适合大藤峡公司年度投资计划审批的工作流。

3. 计划汇总

系统能自动将各部门所有提交的次年年度投资计划进行汇总。

4. 计划平衡

系统支持在年度投资计划汇总层面进行分析,在明细层进行平衡,最后审批。

5. 计划查询

支持公司各个层面的投资计划查询,平衡审批后的年度投资计划作为各部门执行的计划。

5.3.1.5　投资统计管理

1. 投资统计

支持将所有合同项目的实际投资成本归集到项目上,分已签订合同金额、变更合同金额、已结算合同金额、已支付合同金额等多种要素实时反映动态的投资统计,并且能够追溯至明细合同。

2. 投资与概算对比分析

支持项目实际投资成本与总体概算的实时对比分析,并且提供月度、季度、年度等多期间维度分析。

3. 合同明细分析

系统能提供合同变更分析,分单价变更,已有 BQ 项数量变更,新增 BQ 项等三种类型的变更,分别提供详细数据,合同单价变更的详细历史数据可以追溯。

5.3.2　合同管理模块

大藤峡工程建设项目管理信息系统的合同管理模块主要涵盖合同签订前

的招标工作、合同基本信息维护以及合同签订、合同执行过程中的变更、工程过程中或竣工后的合同结算至支付的全过程管理，如图5-5所示。

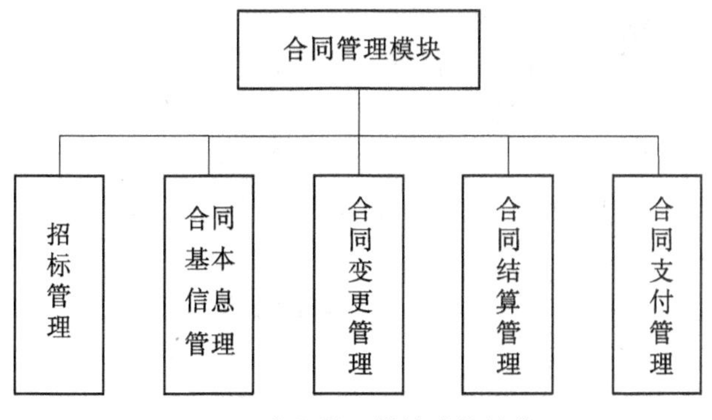

图5-5 合同管理模块功能结构

大藤峡工程建设项目管理信息系统的合同管理模块主要包括以下功能组：

(1)招标管理。为企业各类招标业务提供一个统一的平台，处理招标文件的编制到审批、招标工作的开展、评标过程管理以及中标通知等业务。

(2)合同基本信息维护。建立一个统一的合同工作台，包括所有与工程建设相关的合同，必须提供很好的权限管控，维护和查询合同相关信息，合同交易方、条款、报价清单或采买价格协议内容等。

(3)合同变更管理。为每一次合同变更后提供不同的合同版本控制，形成每一次变更后的合同全貌，支持从工程变更集成至合同变更信息。

(4)合同结算管理。合同结算汇总自工程报量和签证数据，支持基于合同BQ项的结算。

(5)合同支付管理。合同支付必须在合同本次结算的基础上考虑预付款、代垫款等扣款、材料核销等项目，最后形成本次可以支付的金额，承包单位提交，经层层审批后流经财务做付款。

本模块与物资采购管理系统、投资管理模块、进度管理模块、施工管理模块、财务管理系统都有集成关系：

(1)与物资采购管理系统的集成关系。供应商管理平台将与招标管理集成，中标的供应商将成为系统的合格供应商；同时，机电物资的采购合同一旦发生单价变更，必须及时反映到未执行的订单上；合同结算能为订单结算提供结算单价的依据。

(2)与投资管理模块的集成关系。合同将与投资管理全面集成，概算将与合同对应,为投资管理构建核心数据,合同签订、合同变更金额、已结算金额、已支付金额都将作为投资统计的要点。

(3)与进度管理模块的集成关系。每一个合同都要与整个 WBS 的部分形成对应关系,整个工程的进度计划的编排为招标的不断开展提供有力支持。

(4)与施工管理模块的集成关系。施工管理中的工程变更经过审批后将直接集成至合同变更,形成合同变更来源,合同模块可以追溯至具体的变更单;施工管理中的工程报量又是合同结算的前端步骤,提供更细颗粒度的数据。

(5)与财务管理系统的集成关系。合同支付申请经最后审批后,直接集成应付账款以及通知财务付款。

5.3.2.1　招标管理

1. 招标计划编制

系统能够提供招标计划编制到审批的功能,明细是月度计划,可以自动汇总至季度或年度招标计划,并且提供招标计划与实际完成招标之间的分析比较,且此部分功能会与进度管理集成。

2. 招标文件的编制

系统提供招标文件的编制功能,定制招标文件模板,划分技术标和商务标,能够将招标明细项目(报价清单项)以可量化的形式体现。可直接套用定制好的招标文件模板,并能自动生成招标文件,同时能够支持文本信息的输入,比如安全、质量、商务等要求。

3. 招标文件的审批

系统能定制满足公司招标业务要求的从招标文件草稿至正式招标书的审定的整个工作流程。

4. 评标工作流

系统支持评标的功能,分技术评审、商务评审、综合评审三个环节,可定制满足公司招标评审业务的工作流。

5. 评标算分支持

支持设置各种招标的评审条件及权重,按照输入的各种评审参数自动计算出得分,为综合评审提供依据。

6. 中标通知

支持通过系统形成中标通知书,并将中标通知发送至评审通过的供应商。

7. 中标报价信息维护

支持将中标的供应商的报价信息输入至系统,比如按每一个 BQ 项所报的综合单价等。

8. 中标信息与合同集成对接

中标的报价数据能自动产生(或关联)合同草稿的报价清单数据,避免重复输入。

9. 招标资源管理

系统能够存储历史招标的价格、历史采购的价格,形成报价信息库;能在系统中维护供应商产品价格目录,并能根据历史投标价格更新供应商产品价格目录;系统中能够储存、查询历次招标文档,以及招标过程中的相关记录。

10. 招标统计

系统内可以记录招标工作的开始/结束时间,能对招标完成情况进行统计,可以按照项目、供应商、年度等属性分别统计招标的信息并打印统计报表。

11. 投标管理

用于管理所有投标文件和供应商,并进行后评估投标统计。

12. 集成企业门户

支持与未来企业门户集成,自动将招标信息、招标电子文件、中标信息等发布至企业门户。

5.3.2.2　合同基本信息管理

1. 合同基本信息维护

支持合同基本信息的维护:合同编码、能够将合同编码转换成二维码实现防伪、对应合同项目编码、合同参与方(甲方、乙方、丙方)、合同执行部门、合同类型、签署日期、总金额、总工期等。

2. 合同报价单维护

支持对合同报价单的输入,合同可以分层次输入合同行;最底层的合同行可以输入报价清单项。

3. 合同起草

支持建立合同条款和付款条件等信息;可自定义合同模板,通过调用现有合同或合同模板,自动生成合同明细信息。

4. 合同状态控制

支持定义合同状态,为合同指定状态,并按照合同状态控制是否可以变更、从状态A到状态B是否需要启用工作流,比如草拟、提交审批、已审批、已关闭、已作废等。

5. 合同签订审批

可定制合同审批工作流,满足大藤峡的合同审批业务需求。

6. 合同权限控制

支持指定具体人员、部门或角色赋予具体合同的查询、修改、删除等权限。

7. 合同查询

系统能提供查询合同的界面,按各种组合条件查询合同;能显示实时的合同台账信息,比如合同总金额、原始金额、变更金额等;能查询特定合同的变更历史和明细,比如变更金额来源于哪些变更,再追溯至变更明细项。

8. 与中标信息的集成

支持将中标的供应商报价单信息自动传送(或关联)至合同草稿,避免合同报价信息的重复输入。

5.3.2.3　合同变更管理

1. 合同变更维护

支持对每一次涉及合同范围内的变更事项的手工输入,包括:合同条款变更;对合同工期的影响;对合同金额的影响;支持合同金额变更的维护,按照变更明细产生合同变更总计,具体方法如下:

(1)如果在原有合同 BQ 项基础上增减工程量,则沿用合同最新的 BQ 项综合单价,数量是本次变更的工程量(正负数),两者相乘。

(2)如果是新增 BQ 项,则必须申报工程量和单价,两者相乘。

(3)如果是单价变更,则必须显示合同尚未结算的工程量,乘以本次单价变更(正负数)。

(4)如果是工期变更导致扣款的,则申报工期变更天数,按合同约定的每增加单位天数计算出扣款金额。

2. 合同变更与项目变更的集成

系统支持将经审批通过的项目变更费用传送至合同管理模块,产生合同变更明细数据,可以从合同变更上查询到具体的项目变更信息,比如项目变更发起方等。

3. 合同变更审批

合同每一次变更,都必须完成审批,方可对后续的合同结算产生影响,系统能定制合同变更审批的工作流,实现合同变更审批。

4. 合同变更更新

经审批后的合同变更能实时反映到最新的合同信息中,比如原始合同的某 BQ 项单价是 100 元/单位,变更单价 30 元/单位,合同最新版本中的该 BQ 项单价就是 130 元/单位。同样,可以推广至工程量变更、BQ 项的增减等。

5.3.2.4 合同结算管理

1. 合同结算单编制

为承包人、监理单位、业主提供合同完成工程量申报、审核、审批的界面，这是一个经系统汇总处理的界面，该界面可以按照合同 BQ 项显示承包单位填报量、监理审核量、业主审批量，这些数据自动从已完成审批的工程量申报单中汇总产生，不可修改；该结算单还需要列示合同量、合同单价、合同金额、项目期初累计等列；该界面中将按 BQ 项显示合同最新单价，与本月数相乘就得到承包单位填报金额、监理审核金额、业主审批金额；对于不在合同范围内的（尚未经业主审批的合同新增项）项目，区分显示为预结算；对于需要扣除前期预结算的，区分显示为预结算扣除项；系统在合同结算单中还能显示期间、本期总结算金额等信息。

2. 合同结算审核

系统支持定制合同结算审核的流程；工作流将按照合同信息中的承包单位负责人、填报人、监理单位工程师、测量工程师、合同工程师、业主单位项目负责人等制定流转流程；完成整个流程的审批后，方可作为已审批的合同结算单。

3. 工程量追溯明细

合同结算单支持追溯至构成每一项的完工工程量明细数据。

5.3.2.5 合同支付管理

1. 合同支付申请

为合同承包人（合同乙方）提供合同支付申请的界面，该界面中除了列示合同量要列示的施工单位申报、监理单位审核、业主审批三栏；合同承包人可以看到来自于合同结算的数据，在此基础上填写业主方的一些扣款事项，比如水电垫付款、材料扣款等，结合业主方已经支付的预付款等，材料核销等数据，最终产生本次支付申请金额，向业主方提交。

2. 支付申请的核准

支持监理单位、业主分级核准支付申请，允许对其中各类扣款项目等做调整。

3. 支付申请审批

系统支持定制合同支付申请—审批—支付的流程；承包单位提出支付申请，业主方的各部门进行审批，最后通知财务完成支付。

4. 与财务系统的集成

系统支持从财务系统的支付信息集成至支付申请单，能在支付申请单查询到实际已经支付金额；支持从财务系统的支付信息集成至合同信息，能在合同上查询到实际已经支付的总金额。

5.3.3　进度管理模块

大藤峡工程建设项目管理信息系统的进度管理模块主要涵盖按每一个合同项目不断细化，安排计划指导施工，进度数据的采集和进度分析和预警等，如图5-6所示。

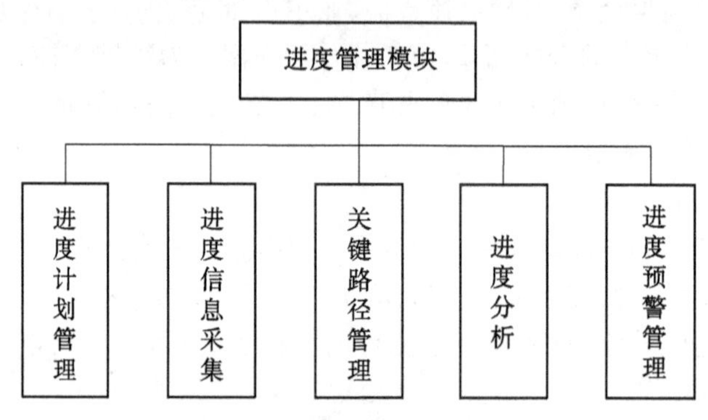

图5-6　进度管理模块功能结构

大藤峡工程建设项目管理信息系统的进度管理模块主要包括以下功能组：

(1)计划管理。支持对总体WBS和合同项目的全面计划管理和调整。

(2)进度信息采集。系统提供进度信息采集的界面，允许录入多种进度信息。

(3)关键路径管理。支持对工程关键路径的定义和分析。

(4)进度分析。支持对进度偏差进行分析。

(5)进度预警。支持对进度滞后的预警管理。

本模块与投资管理模块、设计管理模块、合同管理模块都有集成关系：

(1)与投资管理模块的集成关系。WBS计划的编制是年度投资计划的依据，赢得值管理又依赖于进度信息的采集。

(2)与设计管理模块的集成关系。WBS是从设计阶段产生，并逐步完善的过程。

(3)与合同管理模块的集成关系。招标管理中的招标设计是按照总体进度计划做的；合同与WBS需要设置对应关系，以构建核心数据架构。

5.3.3.1　进度计划管理

1. 时间计划

支持对WBS底层任务进行计划编排，制定每一个底层任务的预计工期、与其他任务之间的逻辑关系，自动计算出每个任务的计划开始/完成时间。

2. 工程量计划

可以将工程量作为资源，分配给WBS或者WBS下面的每一个底层任务。能够自动计算并汇总工程量随项目周期的分布和强度。

3. 计划版本控制

允许保留历史的计划版本供参考，可以分析版本之间的差异。

5.3.3.2　进度信息采集

1. 实际时间进度收集

支持针对WBS底层任务实时输入实际开始时间、实际完成时间，作为任务进度确认的一项依据。

2. 实际完成量收集

支持针对WBS单元工程层任务实时输入各属性工程的实际完成量，作为进度过程中的量化依据，要求可以针对分项工程下所有的属性工程输入完成量，可多行输入。

3. 其他进度信息采集

支持采集其他进度相关的数据，比如使用机械设备名称、台数、耗用的人工小时数等。

4. 与外部终端设备集成

系统支持进度采集与外部设备的接口，可以将计划信息发送至手持移动终端，由这些设备采集进度信息，然后传送至系统。

5.3.3.3　关键路径管理

1. 关键任务的关联

支持设置关键任务之间的先后顺序，可以从任意任务选择一个前置或后置任务，并且可以设置延时天数。

2. 关键路径计划的自动调整

支持当关键路径上的某项任务的调整能自动连带调整整个关键路径，反映到整个合同项目工期的调整。

3. 甘特图及网络图显示关键路径

系统能够在甘特图上或网络图中显示关键路径的计划时间，以及实际进度。

5.3.3.4　进度分析

1. 进度与计划偏差分析

支持将所有合同项目的实际进度自动归集到项目群上,能够实现重要里程碑节点的计划与实际进度对比分析。

2. 自动卷积项目进度

按照多级分解的项目结构,根据子任务的完成情况和子任务的权重,自动卷积项目总体进度。

3. 甘特图分析

强大的项目进度展示功能,能通过甘特图的方式更直观地显示项目的完成情况。

4. 进度查询

提供项目进度计划的筛选功能,能够按时间、任务等筛选所需查询的项目进度计划。

5. 进度报表

能提供项目进度报表、任务完成报表、资源使用报表等与项目进度相关的报表。

6. 里程碑分析

能根据当前项目的状态来分析里程碑达成的趋势分析。

7. 形象进度展示

能够实现形象进度的收集和展示。

5.3.3.5　进度预警

1. 进度预警条件设定

支持按照计划与进度偏差的各种条件来设置预警,比如按照某项任务的计划完成时间或最晚完成时间晚于当天日期多少天以上作为预警触发条件。

2. 进度预警信息模板设定

支持定制设置各类进度的预警信息展示模板。

3. 进度预警方式设定

支持设置各类进度预警的预警方式,比如发送邮件、发送系统通知、发送短信通知、发送给哪些人等。

4. 进度预警通知

当达到预警条件时,系统按照预警设置,将进度预警信息发送给相关人员。

5.3.4 采购与物资管理模块

采购与物资管理主要涵盖大藤峡工程机电设备、工程物资采购业务，部分功能将扩展至工程发包、工程咨询、工程监理、工程监造、工程设计等，功能结构如图5-7所示。

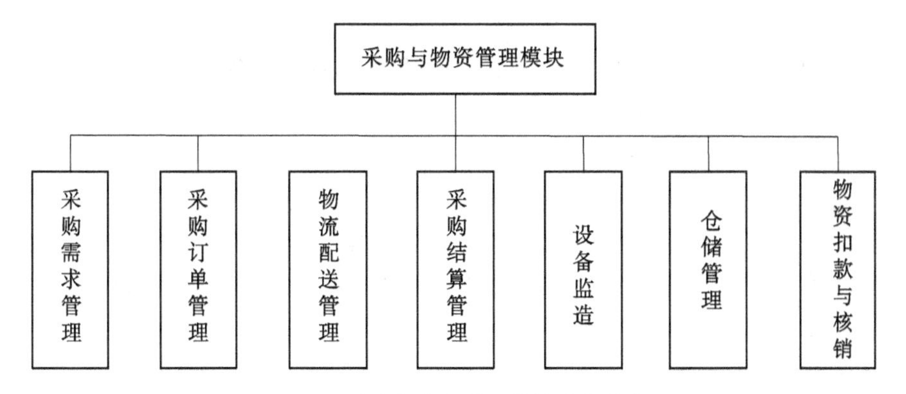

图5-7 采购与物资管理模块功能结构

主要包括以下功能组：

（1）采购需求管理。主要处理施工和安装承包单位的工程物资的需求计划、设备安装计划的提出到平衡和审批等业务。

（2）采购订单管理。按照采购需求计划生成向供货单位的采购订单。

（3）物流配送管理。跟踪机电物资在物流配送环节中的状态、承运人，以及发生的费用归集等。

（4）采购结算管理。按每一单机电物资的采购到货情况和供应商进行结算，同时为对承包单位的物资扣款和核销提供采购单价确认的后续支持。

（5）设备监造。提供设备在监造阶段的管理，包括进度计划、设备制造状态，设备的厂商编号维护等。

（6）仓储管理。提供物资与机电设备的库存管理，建立物资和机电设备的数据库，形成多库存组织、多货位的模式，可处理各类出入库业务、库存向合同项目发料等操作，同时提供多种成本核算方式，为物资的扣款和核销提供依据。

（7）物资扣款与核销。提供物资的扣款与核销管理，支持将物资扣款和物资核销数据传送至指定的合同结算中（在结算审核或审批过程中的合同），为合同结算提供依据。

5.3.4.1　采购需求管理

1. 需求编制

支持来自于各合同项目(施工工程、安装工程等)或非项目的物资与设备需求计划的编制,具体包括基于合同项目的设备、材料等供应需求,以及非项目的资产、办公设备的采购需求。

2. 需求与 WBS 对应

需求计划必须记录合同项目及其 WBS 中的具体任务、承包商,物资或设备编码、需求数量、需求日期等。

3. 需求提交和审批

支持需求计划的提交—修改—审批的过程,可以定制满足公司机电设备和物资采购不同业务需要的审批流程;能查询需求计划审批的进度,如当前的审批人、审批的状态、下一个审批人、是否已完成审批、需求计划执行状态要能显示是否已经创建成采购订单等。

4. 需求平衡

支持对需求计划进行汇总平衡,从而调整各分项目采购需求。

5. 需求查询

能够提供方便灵活的需求计划的查询方式,能按单一查询条件、组合查询条件、模糊查询等方式来查询。

6. 需求统计

提供需求计划以及执行情况的统计分析报表,可以按年度、季度进行汇总。

5.3.4.2　采购订单管理

1. 项目和非项目采购

能提供项目或非项目采购业务的采购订单与接收管理的功能,具体包括基于合同项目的设备、材料、服务、工程施工等采购,以及非项目的资产、办公设备等采购。

2. 与合同报价数据的集成维护

能将合同报价清单项数据可选择的自动转换为采购订单,减少不必要的信息重复输入。

3. 根据采购需求生成采购订单

能将已获审批的机电物资的需求计划进行汇总平衡,指定到具体的机电物资供应商,自动转换为采购订单,减少不必要的信息重复输入。

4. 采购订单维护

一个采购订单可含多个采购对象,采购订单须包含以下信息:供应商;合同项目以及合同项目 WBS 中的具体任务;采购项编码、描述和型号规格(技术参数可以允许长文本);数量、单位、单价,需求时间等;采购项可以是具体物料、机械设备、某项服务内容,或者合同报价清单项(BQ)。

5. 采购订单的自动调整

支持对采购订单自动调整,如合同变更涉及的项目增减、单价变动、合同量变动等,都能自动反映到采购订单的调整,但不允许合同与采购订单不匹配的情况出现。

6. 采购订单查询

提供方便灵活的采购订单的查询方式,能按单一查询条件、组合查询条件、模糊查询等方式来查询。

7. 采购订单的审批

能查询采购订单处理的进度,如当前的审批人、审批的状态、下一个审批人、是否已完成审批、是否已经采购结算等。

8. 采购通知供应商

在系统里建立的采购订单信息,能够通过电子邮件发送给供应商。

9. 供应商权限控制

能提供机电物资供应商的采购订单的查询平台,每一个供应商只能查询到属于自己的采购订单。

10. 采购单价管理

采购订单中的每行单价默认至合同管理模块中对应的合同定价,但可能与最终采购结算的单价有差异。

5.3.4.3　物流配送管理

1. 物流配送计划安排

能按采购订单安排配送计划和行程,指定各行程:具体的承运人,承运方式,开始发运时间、估计所需时间,发运自、发至地址,行程千米数,费用等信息。

2. 物流配送实际进度信息

提供记录实际配送的功能,记录当前实际情况:处于哪一个行程中,装箱单,海关单据,舱位、实际费用等信息。

3. 物流成本的分摊

能集成财务管理系统的应付账款管理,提供配送管理中相关运费以及运输过程中产生的其他相关费用的结算功能,并能将这些费用分摊至相关机电物资的采购成本中。

5.3.4.4　采购结算管理

1.与合同结算集成

能集成合同管理模块相关结算数据:

(1)对于机电物资采购合同,结算单价可能随着市场公允价格变动,但它滞后于入库以及调度的时点,需要系统能够按后来的结算单价调整之前的采购订单价格,从而计算每一单采购结算金额,作为与供应商的结算依据;也同时能为仓储管理中机电物资的库存成本调整以及对承包商的材料扣款、材料核销等调整提供依据。

(2)对于工程或咨询类合同项目,将本期合同结算结果自动传送至采购管理模块,生成采购结算数据。

2.与财务系统的集成

能为财务管理系统提供财务数据,包括供应商和合同项目辅助核算的应付账款、材料采购、机械设备采购等科目的发生额,可按明细或汇总的方式导出。

5.3.4.5　设备监造

1.设备监造过程管理

为公司机电物资部、设备设计单位、监造单位提供平台,实现设备监造的过程管理。

2.集成进度管理

支持按设备清单中的设备从投产到完成的计划制定,集成进度管理;能够随时更新设备制造的最新状态。

3.设备质检管理

可对已经完成制造的设备进行出厂检验,记录检验结果。

4.与物流配送集成

可对发运状态的设备制定配送方案,可对多个设备进行组合发运。

5.设备监造的统计分析

提供设备监造的统计分析报表。

5.3.4.6　仓储管理

1.多库存成本核算

能够支持多种存货成本核算的方法,如标准成本、移动平均成本等,满足各建设管理局的材料成本核算的不同需求。

2. 多库存多货位管理

提供多库存、多货位管理的功能。

3. 多种存货控制

具有多种存货控制和管理的方法，比如按批次控制、按货位控制、安全库存控制等。

4. 按WBS设定货位

支持按合同项目WBS任务进行货位管理，从而实现按合同项目的物资需求计划对物资调度进行控制。

5. 供应商寄售库存管理

机电物资转运站中有大量的物资不算公司存货，只是为了满足物资的调度，临时堆放，但必须提供对于供应商寄售存货的管理，以明确现场货物是哪一家供应商的，现有量有多少，为厂商下达供货订单提供参考。

6. 特殊出入库业务的支持

提供特殊情况的出入库管理，如供应商赠送、报废、损耗等；能处理物资从转运站往承包单位（合同项目）的调拨业务等。

7. 库存盘点

提供对物资进行盘点的功能和方法，如抽盘和全面盘点；提供对盘点结果进行差异调整审批的功能。

8. 项目的机电物资调度

支持将物资和机电设备从对应合同项目货位的库存中调度至合同项目，扣减库存，同时扣减合同项目的结算款。

9. 项目的机电物资退库

支持将物资和机电设备从合同项目退至对应合同项目货位的库存，增加库存，同时冲销对合同项目的材料扣款。

10. 项目间物资调拨

支持特殊业务的项目间物资调拨业务，比如从对应的合同A项目货位发货至合同B项目，扣减A项目库存，同时扣减合同B项目的材料款。

11. 对材料扣款和核销的支持

物资调度过程中，往往会将多家厂商的物资调度至多家承包商，系统应能按每一个合同项目核算材料领用的单位成本，为材料扣款和核销提供材料单位成本的明细数据。

12. 多维度统计分析

提供多种维度的统计报表,比如按期间(年度、季度、月度)、合同项目类别、机电物资分类等条件组合查询出入库调度数据。

13. 现有量查询

支持库存现有量、出入库的多组合查询和导出。

14. 库存权限控制

提供库存操作权限控制的功能。

5.3.4.7 物资扣款与核销

物资扣款和核销是大藤峡公司对于甲供(统供)材料管理的一项特殊业务,甲供材料实际上包括在与承包单位签订的合同项目中,但是由甲方即大藤峡公司机电物资部统一向几家合格供应商采购,然后按物质需求调度至各合同项目。

1. 物资扣款

当物资调度至合同项目时会按照合同单价,从当期与承包单位的结算中扣除材料款,实际是甲方垫付材料款再从结算中扣出的一种结算方式;系统支持对合同项目输入每一种材料的合同价,为材料扣款提供单价数据。

2. 物资核销

物资核销是考核承包单位对材料是否超耗,即按照材料损耗率、工程量计算出的材料耗用量的一个区间范围,对于超出这个区间范围的最大值那部分耗用量,将按照采购成本(加权平均价)与合同单价之间的价差再向承包单位扣款,即让超耗部分材料按照采购成本全部让承包单位承担。

3. 与合同结算的集成

支持将物资扣款和物资核销数据传送至指定的合同结算中(在结算审核或审批过程中的合同),自动生成结算中扣款和核销两项。

5.3.5 施工管理模块

工程施工管理主要包括工程变更管理、施工日志管理、工程报量管理、现场协同管理等业务,功能结构如图 5-8 所示。

大藤峡工程建设项目管理系统的工程日常施工管理模块主要涵盖施工变更、现场管理等业务。主要包括以下功能:

(1)工程变更管理。作为合同变更的来源业务,工程变更涉及多种原因的变更,变更业务从发起方提出到多方的审核直到反映至合同变更的整个过程。

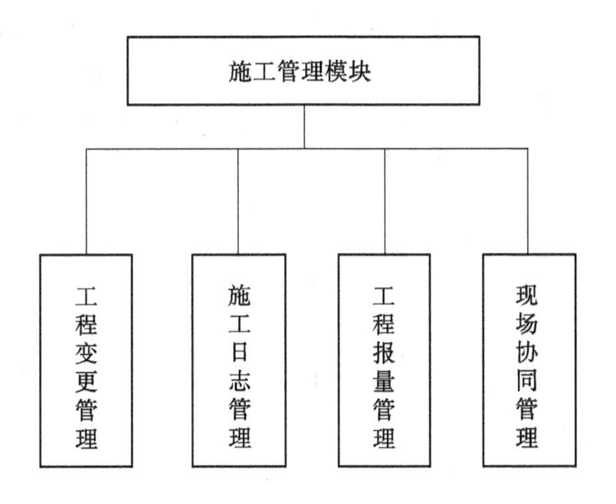

图5-8 工程施工管理模块功能结构

(2)施工日志管理。记录每日施工情况的平台。

(3)工程报量管理。作为合同结算的来源业务,处理从承包单位发起报量,监理签证、业主审批的过程,数据颗粒度到单元工程的报量。

(4)现场协同管理。项目协同的平台,可定制各类协同的工作流,处理与施工有关的质量、安全、环保、技术、工艺、机电物资调度等问题,可共享整个业主人员信息以及监理单位、设计单位、承包单位人员信息。

5.3.5.1 工程变更管理

1. 项目变更信息维护

支持对项目变更的信息输入,包括变更单号、变更类型(费用变更、工期变更、质量等级变更等,可多选)、变更发起方(设计、监理、业主、施工方等)、变更来源(设计变更通知单、技术核定单、工作联系单、监理指令等)、变更等级(一级、二级、三级等)。

并且,可以根据变更类型维护变更产生的影响:

(1)对合同工期的影响,影响天数。

(2)对费用的影响。可输入多行的变更明细(单价变更、工程量变更、工程项目增减等详细信息)。

(3)对施工工艺的影响。

2. 项目变更费用计算

支持项目变更对费用增减的维护,按照变更明细产生费用总计,具体方法是:

(1)如果在原有合同BQ项基础上增减工程量,则沿用合同最新的BQ项综合单价,数量是本次变更的工程量(正负数),两者相乘。

(2)如果是新增BQ项,则必须申报工程量和单价,两者相乘。

(3)如果是单价变更,则必须显示合同尚未结算的工程量,乘以本次单价变更(正负数)。

(4)如果是工期变更导致扣款的,则申报工期变更天数,按合同约定的每增加单位天数计算出扣款金额。

3.项目变更审批

能够定制各类型变更的工作流,满足大藤峡工程建设项目变更审批要求。

5.3.5.2 施工日志管理

施工日志是记录与工程现场相关活动的日记,系统提供施工日记本的功能,包括如下信息:

(1)合同编号。

(2)日期。

(3)天气。

(4)人员列表。

(5)施工主题。

(6)施工详细描述。

(7)附件,比如现场照片等。

5.3.5.3 工程报量管理

1.工程计量填报和申报

为承包人、监理单位、业主提供单元工程已完工程量申报、审核、审批的界面,这是一个统一的界面,分开三栏(承包人填报、监理审核、业主审批),可以按照单元工程上报、审核、审批。

1)在合同范围内的结算(包括了业主已审批的合同变更)

(1)按每一个合同BQ项的本月完成数。

(2)如果属于尚未验收但是出于各种因素需要申报的,可以当作预结算项目列示。

(3)如果要扣除以前阶段的预结算项目,可以当作预结算扣除项目列示。

2)合同范围以外的结算(属于业主尚未核准的变更)

(1)不属于合同范围内,但出于各种因素需要申报的,可以当作预结算项目列示。

(2)如果要扣除以前阶段的预结算项目,可以当作预结算扣除项目列示。

系统能够自动区分开以上这些项目，能够按照用户的单位属性（承包方、监理、业主）来达到安全性控制，比如当一个监理单位的用户登陆后，仅可以维护经承包人提交的工程量申报单，而且仅能维护监理审核一栏。

2. 工程量审批工作流

系统能定制工程量申报审批工作流；工作流将按照合同信息中的承包单位负责人、填报人、监理单位工程师、项目工程师、合同工程师、业主单位项目负责人、计划合同部负责人等制定流转流程；当承包单位填报人填报后，提交申报，完成承包单位内部的流程；再转入监理单位，监理单位的合同工程师会收到通知，进入界面输入审核量，完成监理单位内部的审核流程；再转入业主单位，业主单位计划合同部的负责人会收到通知，进入界面输入审批量，完成业主单位内部的审核流程。

5.3.5.4　现场协同管理

1. 现场协同平台

提供统一的项目参与人员现场协同工作平台，方便交流与协作。

2. 现场协同工作流

提供可配置的现场协同工作流，对于公文流转、问题处理、变更处理等项目相关事宜能通过系统通知的形式自动流转，最终完成协同的过程。

3. 协同通知与查询

项目人员有独立的系统入口，按照角色权限可以实时看到所分配的工作、时间进度要求、需要填写/审批的公文以及项目状态等。

5.3.6　质量管理模块

大藤峡工程建设项目管理信息系统的质量管理模块主要涵盖质量标准体系的建立、机电物资质检、质量缺陷处理、工程竣工验收等业务，如图 5-9 所示。

大藤峡工程建设项目管理信息系统的质量管理模块主要包括以下功能组：

（1）质量标准管理。建立工程物资、机电设备、工程施工的一系列质检标准以及竣工验收的标准。

（2）设备质检管理。提供设备从监造、物料配送到仓储管理、安装各阶段的质量检验。

（3）物资质检管理。提供在工程物资采购入库至调度至项目现场的质量检验。

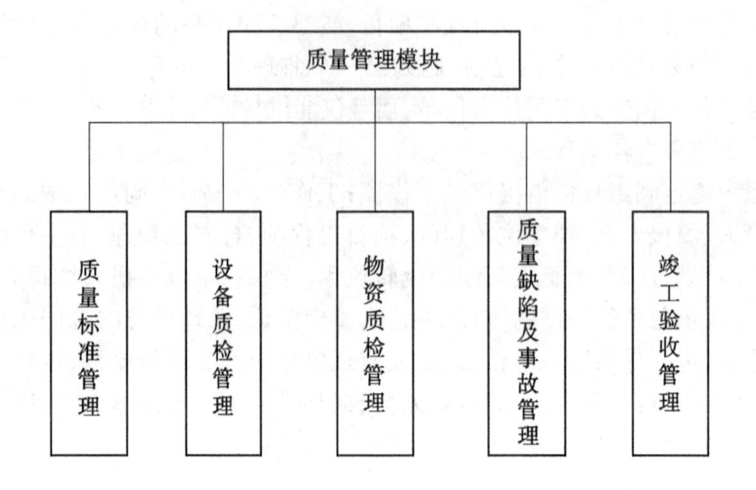

图 5-9　质量管理模块功能结构

(4)质量缺陷及事故管理。提供对质量缺陷及因质量缺陷导致事故的处理。

(5)竣工验收管理。提供对合同工程竣工验收、对整个水利枢纽建设工程最终的竣工验收管理。

本模块与物资采购管理系统、施工管理模块都有集成关系：

(1)与物资采购管理系统的集成关系。机电设备监造完毕必须经设备质检;机电设备在配送至仓库,需要做开箱质检;调度至安装现场需要做安装前的质检;物资在采购至库存时和在调度至项目现场时都需要做质量检验。

(2)与施工管理模块的集成关系。工程施工按每单元工程做质检,质检合格的单元工程的工程量作为工程报量的依据。

5.3.6.1　质量标准管理

1. 质检属性及标准设定

提供定义质量检验属性的基础信息库,比如颜色、缺陷、长度、厚度、强度等,并为每一个检验属性提供不同的可选值范围或者可量化的质量标准。

2. 机电设备质检属性和标准设定

支持为材料或设备指定检验属性并给定各检验属性的质量标准,分类型层指定和每一种物料及设备指定。

3. 工序质检属性和标准设定

支持为 WBS 每一分项工程的施工工序指定检验属性,并给定各检验属性的质量标准,当单元工程的各道工序质检时可以自动带出这些检验属性和质量标准。

4. 单元工程验收属性和标准设定

支持为 WBS 每一分项工程的单元工程指定验收属性,并给定各验收标准,单元工程的质检时可以自动带出所属分项工程的检验属性和质量标准。

5. 分部工程验收属性和标准设定

提供设置 WBS 各分部工程验收属性以及质量评定标准。

6. 单位工程验收属性和标准设定

提供设置 WBS 各单位工程验收属性以及质量评定标准。

7. 合同工程验收属性和标准设定

提供设置合同项目验收属性以及质量评定标准。

8. 自动评定设置

当多属性检验时,给定系统自动判定质检结果的规则,比如设置权重或某项属性不合格时则判为质检不合格等,或者指明手动输入最终结果。

5.3.6.2　设备质检管理

1. 设备监造质检

提供在设备监造阶段的设备质检数据收集界面,可以在此界面上按设备的各项检验属性输入检验结果。

2. 设备开箱质检

提供在设备物流配送至仓库接收时的设备开箱质检数据收集界面,可以在此界面上按设备的各项检验属性输入检验结果。

3. 设备安装现场质检

提供在设备调度至安装现场时的设备质检数据收集界面,可以在此界面上按设备的各项检验属性输入检验结果。

4. 质检结果评定

支持在所有必要的检验结果输入完毕后,系统能自动判定质检结果,或者提供手动输入结果。

5. 质检报告生成

提供质检报告模板,定制符合大藤峡质量管理要求的设备质检报告。

5.3.6.3　物资质检管理

1. 物资采购质检

提供按采购单在物资采购入库时的质检数据收集界面,可以在此界面上按物料的各项检验属性输入检验结果。

2. 物资调度质检

提供按库存调度单在物资调度至各合同项目现场时的质检数据收集界面,可以在此界面上按物料的各项检验属性输入检验结果。

3. 现场生产性物资质检

提供现场生产性物资(比如拌合系统)的质检数据收集界面,可以为采石场的每生产批次的各类砂石的各项检验属性输入检验结果;同时,可以按生产批次的混凝土的各项检验属性输入检验结果。

4. 质检结果评定

支持在所有必要的检验结果输入完毕后,系统能自动判定质检结果,或者提供手动输入结果。

5. 质检报告生成

提供质检报告模板,定制符合大藤峡质量管理要求的物资质检报告。

5.3.6.4　质量缺陷及事故管理

1. 材料质量缺陷处理

支持对于质量检验不合格的物资质量缺陷,指定需采取的措施,比如进行退货或者对供应商扣款等,并且可以定制工作流,将质量缺陷报告相关领导,最终审批后按措施执行。

2. 设备质量缺陷处理

支持对于质量检验不合格的设备质量缺陷,指定需采取的措施,比如进行重新返工、退货或者对供应商扣款等,并且可以定制工作流,将质量缺陷报告相关领导,最终审批后按措施执行。

3. 工程质量缺陷处理

支持对于质量检验不合格的单元工程质量缺陷,指定需采取的措施,比如进行重新返工或者对承包单位扣款等,并且可以定制工作流,将质量缺陷报告相关领导,最终审批后按措施执行。

4. 质量事故记录

支持质量事故记录,能记录事故详细描述、事故等级、事故发生相关单位、事故相关责任人、事故原因分析等。

5. 质量事故处理

可按照事故等级定制处理流程,自动流转到相关单位的相关领导,可以输入处理意见、处理结果汇报等。

5.3.6.5　竣工验收管理

1.合同项目竣工验收

提供合同项目竣工验收的界面,可以在此界面上按合同项目的各项验收属性输入检验结果,该界面能追溯下属所有分部工程的质量检验结果。

2.合同项目竣工验收工作流

提供可以定制的工作流,满足大藤峡合同项目竣工验收审核的业务需求。

3.工程竣工验收

提供整个水利枢纽建设工程竣工验收的界面,可以在此界面上按工程竣工验收的各项验收属性输入检验结果。

4.工程竣工验收工作流

提供可以定制的工作流,满足大藤峡整个工程竣工验收审核的业务需求。

5.验收报告生成

提供验收报告模板,定制符合大藤峡质量管理要求的合同工程竣工验收、工程竣工验收报告。

5.3.7　安全管理模块

安全管理支持大藤峡实现以安全体系为基础、安全目标为中心、安全计划为龙头的工程建设安全闭环管理。根据安全管理体系,将安全管理工作分解到每一个单元工程,所有单元工程在施工前有明确的安全准备事项,施工时有明确的须遵守的安全规定和安全检查内容。

本模块与进度管理模块、合同管理模块、施工管理模块都有集成关系:

(1)与进度管理模块的集成关系。具体安全措施的安排必须与合同项目的计划管理关联,同时这些安全措施实施得如何要通过项目的进度采集后反映。

(2)与合同管理模块的集成关系。安全的目标必须在合同中体现,作为合同的基本信息或条款。

(3)与施工管理模块的集成关系。施工管理必须严格按安全保障计划进行施工,安全环保方面的协同也需要通过施工管理中的现场协同来完成。

安全管理模块的功能结构如图5-10所示,其详细功能描述如下。

5.3.7.1　安全体系管理

安全体系管理包括安全管理体系大纲、体系标准、验评标准、规章制度、法律法规。根据安全管理体系大纲,配置工程项目施工过程中涉及的危险点及控制措施,以便施工人员预先进行分析、按规定安全施工,避免发生事故。系

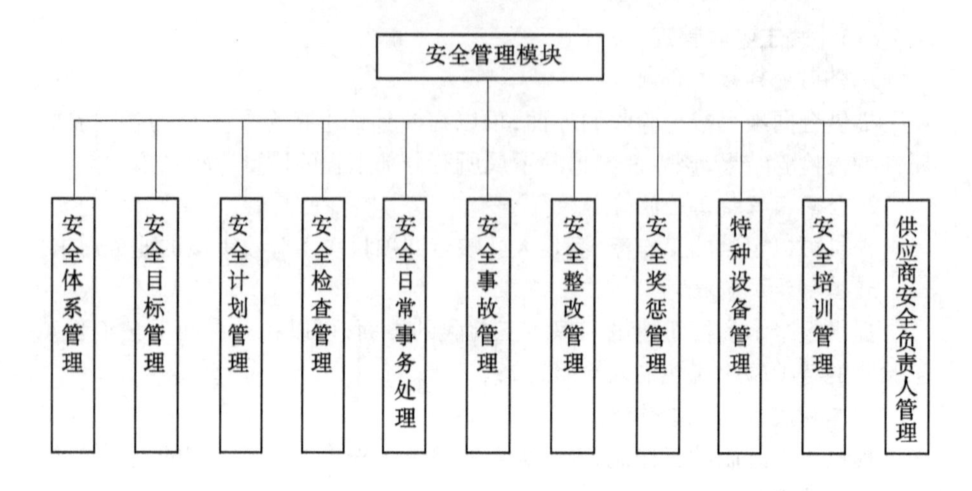

图 5-10 安全管理模块功能结构

统提供危险点及控制措施库,涵盖大藤峡工程项目中可能遇到的危险点及控制措施,用户可以从中选择项目相关的危险点及控制措施,构建项目的安全管理体系。

5.3.7.2 安全目标管理

根据安全管理大纲,设定安全管理目标,并安装各个安全分类,将指标分解到各个部门和施工单位。

5.3.7.3 安全计划管理

根据安全管理大纲、安全管理目标和项目管理计划,制订安全管理计划,规划需要进行哪些安全活动以及活动内容,并分解到各个管理部门和施工单位。

5.3.7.4 安全检查管理

对日常巡检、定期安全检查、专项安全检查、综合安全检查等检查活动进行管理,包括检查通知的下发、检查结果的记录和相关查询;对安全检查出现的问题进行记录,并触发相应的流程,使业主可以根据合同中安全管理的条款形成对承建商的安全奖惩记录。

5.3.7.5 安全日常事务处理

记录施工过程中涉及危险点的施工活动,记录施工过程和采取的安全措施,支持安全会议管理、安全教育培训、安全通报管理、安全投入管理、安全考试管理、安全资质管理、保证金管理、风险抵押金管理等安全管理日常工作。

5.3.7.6 安全事故管理

根据安全管理大纲,形成安全管理事故分类,并建立相应的事故处理流程,以形成相应的安全事故预警机制;记录安全事故,管理安全事故报告,触发相应的事故处理流程,记录事故处理过程和处理结果,并触发相应的奖惩流程,以形成对承包商的奖惩记录。

5.3.7.7 安全整改管理

对安全检查发现的问题和安全事故的整改过程进行跟踪,并记录整改结果信息。

5.3.7.8 安全奖惩管理

管理安全奖惩流程,记录对相关单位的奖惩结果,支持相关方对奖惩情况的查询。

5.3.7.9 特种设备管理

特种设备管理包括特种设备安装申请管理、特种设备定检管理等功能。

5.3.7.10 安全培训管理

制定安全培训计划,记录安全培训情况,评估安全培训效果。

5.3.7.11 供应商安全负责人员管理

对各个供应商安全小组成员统一收集信息,可通过手机或电脑快速查询具体人员详细信息。

5.3.8 设计管理模块

设计管理支持对委托设计的相关单位进行前期规划、施工设计以及相应变更的全过程进行管理。主要包括设计进度计划管理、设计接口管理、设计审查管理、设计变更管理、设计成果管理等功能,如图5-11所示。

设计单位根据设计合同,按照设计要求和设计接口的规定,制定详细的设计供图计划。设计单位设计完成后,根据设计进度要求,交付设计成果,并提交审查,并根据审查意见进行变更和优化。审查通过后,交付施工单位进行施工。在施工现场,也可能根据实际情况需要进一步进行变更,系统支持对变更的过程进行记录。所有的设计文档最终提交到工程文档管理模块进行管理。

设计管理涉及业主、监理方、施工方等多个单位,需要支持多方协同工作,并根据不同的角色进行授权。

5.3.8.1 设计进度计划管理

1. 设计计划管理

支持由设计单位根据设计分包合同,编制设计进度计划,并提交至大藤峡

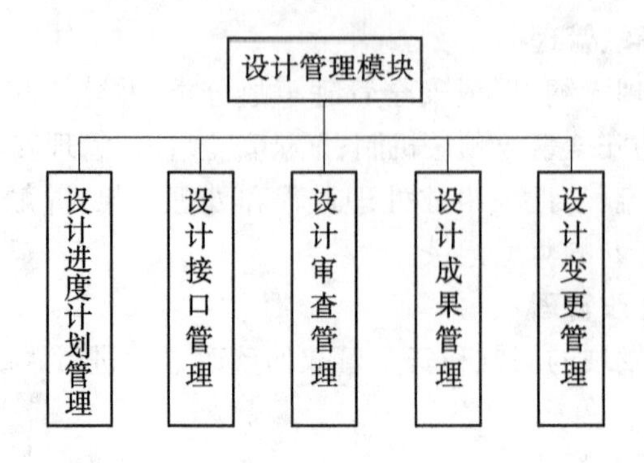

图 5-11 设计管理模块功能结构

公司,并根据总体施工进度计划进行审查的过程,设定设计进度里程碑。

2. 设计进度管理

根据设计计划和供图进度,采集、汇总设计进度,并进行设计进度的预警分析。

5.3.8.2 设计接口管理

支持管理和协调设计院和设计院之间、不同专业之间存在的大量设计接口信息交换,对各类设计接口及其交换过程进行全面集中记录、跟踪和控制,可以实现对接口交换记录进行查询,并跟踪、预报需交换的接口内容。

设计接口来源于设计合同。

1. 设计接口定义

根据总体设计,定义不同设计单位间、设计工种间的接口关系。

2. 设计接口查询

支持设计单位、监理方和业主查询设计接口。

5.3.8.3 设计审查管理

负责管理对设计单位提交的设计成果进行检查和确认的过程,支持《设计审查单》《设计审查意见反馈单》和设计文件分发单的产生、流转、输出、打印、归档。

1. 审查申请

支持相关单位提交设计文件审查申请及其审批流程管理,支持待审查的设计文件提交。

2. 审查过程管理

支持对设计文件审查过程的管理,包括初审、复审等。

3. 审查意见管理

管理设计文档的审查意见，并支持查询、归档管理；支持审查意见的不可逆修改管理。

5.3.8.4　设计成果管理

1. 基础数据管理

支持设计文件编码规则管理、设计文件目录（IED）管理等功能。

2. 图档管理

支持按照设计进度管理设计成果，实现对设计文件提交、分发、查阅等情况的管理和控制。

5.3.8.5　设计变更管理

支持对设计图档的变更过程的控制和管理，包括变更申请、变更审批、变更执行等功能，实现各种文件在各接口单位的调用、编制、审查、批准、分发和传递过程，完成后进行归档。

1. 变更申请

支持设计单位、施工单位提出设计变更申请，并录入变更原因、变更内容等信息。

2. 变更审批

能够将变更申请分发到相关单位，支持相关单位对设计图纸进行调用；支持相关单位对变更内容进行审批。

3. 变更执行

支持将变更后的设计图档分发给相关单位，并进行图档归档。

5.3.9　技术咨询管理模块

技术咨询管理支持对委托相关咨询单位开展项目咨询的全过程进行管理。主要包括技术咨询申请、技术咨询审批、技术咨询成果管理等功能，其功能结构如图 5-12 所示。所有的技术咨询成果最终提交到工程文档管理模块进行管理。

1. 技术咨询申请

当项目遇到重大技术难题时，可发起技术咨询申请。

2. 技术咨询审批

可定制技术咨询审批工作流，满足大藤峡的技术咨询审批业务需求。

3. 技术咨询成果管理

支持按照技术咨询进度管理咨询成果，实现对技术咨询成果提交、分发、

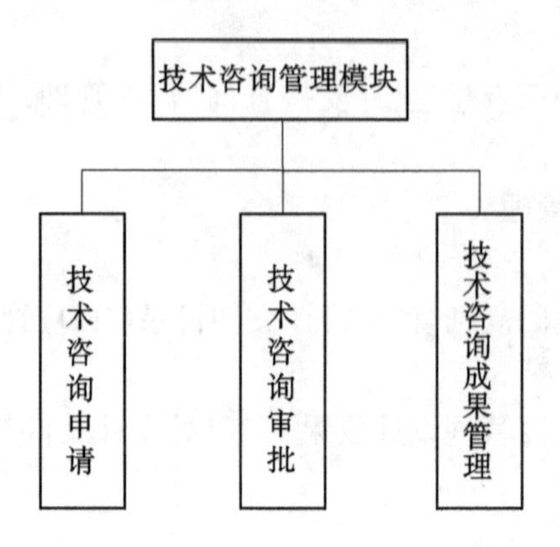

图 5-12　技术咨询管理模块功能结构

查阅、归档等情况的管理和控制。

5.3.10　科研管理模块

科研管理支持对委托相关科研单位开展科研项目的全过程进行管理。主要包括科研项目申请、科研项目审批、科研成果管理等功能,其功能结构如图 5-13 所示。所有的科研成果最终提交到工程文档管理模块进行管理。

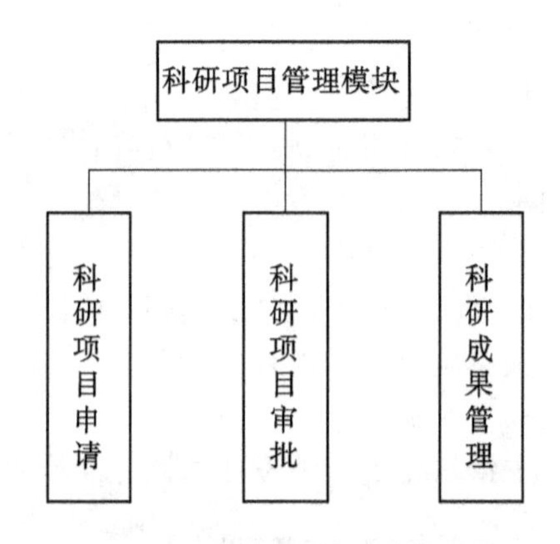

图 5-13　科研项目管理功能结构

1. 科研项目申请

为保障大藤峡水利枢纽工程顺利,需要对相关专业进行技术研究,可发起科研项目申请。

2. 科研项目审批

可定制科研项目审批工作流,满足大藤峡的科研项目审批业务需求。

3. 科研成果管理

支持按照科研项目进度管理科研成果,实现对科研成果提交、分发、查阅、归档等情况的管理和控制。

5.3.11　审计管理模块

审计管理以工程项目审计流程为基础、以安全审计为目标,对项目审计的全过程进行管理。主要包括项目成果查询、审计流程申请、审计流程审批、审计问题反馈等功能，其功能结构如图5-14所示。

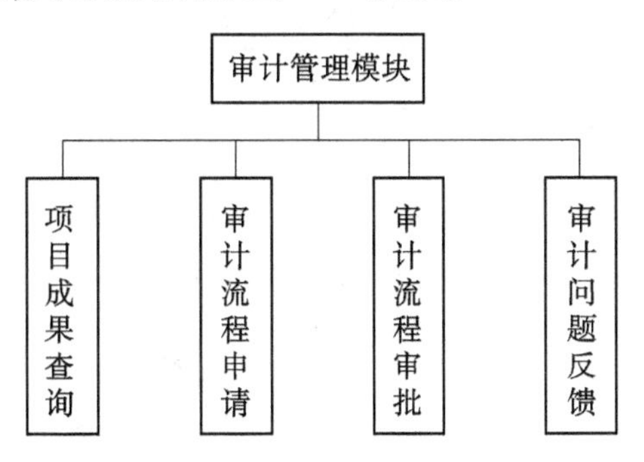

图5-14　审计管理模块功能结构

1. 项目成果查询

在项目审计过程中，实现对合同项目的成果、合同、概算、结算、验收等工程相关成果资料的统一搜索、查询和阅览。

2. 审计流程申请

在项目审计过程中，发现问题时，在线发送审计通知书或审计意见书到相关责任部门。

3. 审计流程审批

由分管审计的公司领导对审计通知或设计意见进行审核批准。

4. 审计问题反馈

由相关责任部门对审计问题进行复核整改，并在线反馈整改情况。

5.3.12　工程文档管理模块

工程文档管理系统负责管理整个工程建设过程中的工程图档、档案资料、项目文档、专家经验和通知公告等文档类数据，包括文档检入检出管理、版本更新管理、分类和编码管理、文档目录管理、属性管理、关联关系管理、工作流管理、信息检索与查询、系统管理等功能模块，其功能结构如图5-15所示。可实现对各类文档从产生、审批、发布、升版、作废的整个生命周期的规范化管理，实现文档的全生命周期管理。

系统采用项目方式来组织文件目录结构，一个项目的文档归集在一起，逻辑上是一个数据库。文档管理在大藤峡层面采用统一的图档、文档分类和编码体系对文档进行唯一标识，便于文件的管理和共享。各类文档数据通过手工/自动归档等方式存入建设期工程数据库，实现对建设过程的文档管理。由

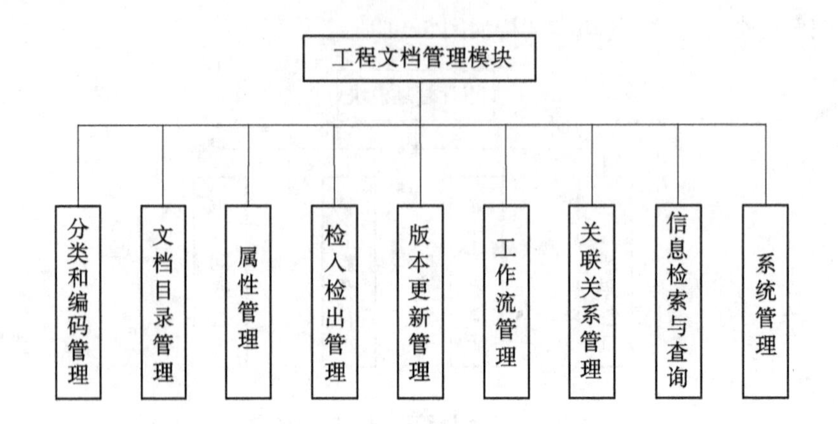

图 5-15　工程文档管理模块功能结构

于工程建设过程中文档数据内容繁杂,信息量很大,因此必须根据业务逻辑建立好各种文档之间的关联关系,便于后续查询、追踪过程中能够获得全面的信息,并保证信息的完整性。

(1)分类和编码管理。支持按照不同部门、不同文档类型进行文档存储,并建立文档的唯一标识。

(2)文档目录管理。提供所有工程文档的目录清单,支持按业务范围分类管理,支持按项目成果验收材料归档要求分类展示。

(3)属性管理。支持用户定义文档的编号、发布状态、发布原因、合同号等不同类型文档的属性描述,便于文档的管理和查询。

(4)检入检出管理。支持手工归档和自动归档等功能,将相关的文档资料按照分类进行存储,当使用者要编辑一个文件时,必须从系统中将文件检出到客户端来进行编辑,并支持多个用户同时编辑一个文件;归档时,能够建立文档与具体业务对象(如物资、设备、合同、项目等)的关联功能,这为便利地查找、使用文档提供了支持。

(5)版本更新管理。实现归档过程中的版本控制,保证项目组成员手中文件版本一致,并追踪纪录文件的版本历史。

(6)工作流管理。支持定义各种签(审)核流程,并支持用户查询流程状态、追踪文件签(审)核过程中使用者所加入的注释,动态增加、改变、删除一个正在执中的工作流程的参与者。

(7)关联关系管理。负责定义文档之间的各种关联关系(图档主文件、参考文件及外部引用文件、设备采购文件、设备规格说明书),便于根据某种关联关系及时找到相关的所有文档;如找到某设备的装配件文件、设备的设计规格说明书等。

(8)信息检索与查询。包括全文检索、属性检索、内容浏览等功能。即能够对所有项目文档进行文档检索,又能够针对不同项目的建设期的文档进行检索,同时也能够进行模糊或等条件查询。

(9)系统管理。包括用户与权限管理、安全策略、日志维护和性能管理等功能。

5.3.13 综合门户

综合门户服务的对象是大藤峡公司、设计方、施工方、监理方、供应商等工程参建方,是各方协同工作的入口平台。综合门户能将系统内的办公业务和信息服务集中到一个应用平台,通过单点登录,实现所有应用入口统一,并提供个性化的业务界面和结构清晰、内容可定制的信息服务,实现各类信息资源、各业务应用的集成与整合,达到信息资源的全方位共享。

通过综合门户将管理驾驶舱、工程建设项目管理系统、移民管理系统、智能温控系统、水情测报系统、视频监控系统等多个系统的展现视图进行统一集成,为大藤峡公司各部门提供个性化管理信息的集中展示和管理工作的统一入口,为大藤峡公司各部门提供一个“一站式”的工作平台,其功能结构如图5-16所示。

5.3.13.1 门户基础框架

门户基础框架是综合门户的定制开发基础框架,基于支撑平台的通用服务组件和应用模板,定制搭建起工程建设管理等各类主题栏目,面向各类用户提供直观、丰富、全面的展现方式和多样化的主题服务,实现一个平台综合应用和统一入口。

主要功能包括:

(1)应用集成。将不同的、相互之间相对独立的应用系统集成起来,并且在集成过程中不影响应用软件本身,实现系统、应用、流程以及数据的有机结合。

(2)信息发布。应提供多种发布方式和信息格式,同时应提供完善的安全、权限管理,保证信息的有效性和安全性。

(3)内部交流。各部门之间可通过门户进行在线交流,以发挥门户的枢纽作用。

(4)单点登录。应提供平台中各系统统一的用户注册、登录和管理接口。

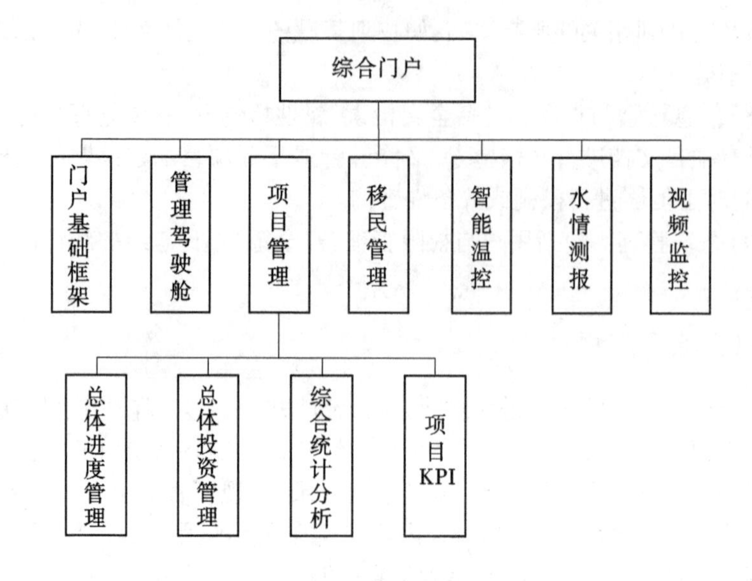

图 5-16 综合门户功能结构

(5)访问控制。对门户内信息的访问和发布应受到权限的限制,保证适当的人在适应的时间能访问适当的信息,防止越权访问的现象发生。

(6)个性定制。应为适应不同部门、不同使用者的特点而具备的多种页面风格和内容定制,门户可以根据用户的需要随时进行方便的调整。

5.3.13.2 管理驾驶舱栏目

管理驾驶舱以图、文、表等方式,结合应用模板搭建公文待办、公文待阅、焦点新闻、系统快捷入口、投资完成情况、施工进度情况、计划完成情况、支付完成情况、移民进度情况、招投标情况、工程变更情况、安全生产情况、工程审计情况等各部件。每个部件展示信息将根据登陆用户的权限实现信息定制展现。

5.3.13.3 项目管理栏目

项目管理栏目以总体进度计划、投资控制管理为重点,实现进度管理、成本管理、质量安全管理的总体控制。针对大藤峡工程项目管理的业务特点,大藤峡以项目的进度、投资及其综合统计分析的应用为主,并对项目的基本信息进行管理。

将项目的进度、投资、质量、安全、环保以及设计、采购、施工和竣工等数据抽取到数据仓库,经过数据的抽取、转换和加载,按照大藤峡工程的项目管理体系,形成各个分析的主题,如进度、投资、质量等主题,然后通过图形化、表格化的方式展现给各级管理人员。通过门户技术分角色、分权限对不同用户分别展现不同的工程建设项目数据。

在应用功能层,通过总体进度控制、总体投资控制、综合统计分析以及项目 KPI 的应用,将支持针对不同层级管理者进行所关注信息定制化地推送,以便管理者及时了解工程建设情况,开展相关协调工作。同时,针对管理者对各项目产生问题进行深度分析的需求,支持适度的指标及报表的下一级提取,以分析问题产生原因。

1. 总体进度管理

(1)总体计划管理。根据大藤峡工程规划,结合资源情况,通过关键路径进度安排和分析资源平衡、能力计划、基线分析和工作分解结构(WBS)等总体建设计划。

(2)总体进度分析。根据项目的总体进度,汇总、分析总体建设进度情况。

(3)形象进度展示。根据系统总体进度数据,对项目形象进度进行动态更新展示。

2. 总体投资管理

(1)总体投资概算管理。根据总体进度计划安排和 WBS 结构分解,制定相应的总体投资控制概算和预算。

(2)总体实际投资分析。支持大藤峡公司汇总项目的每月支出计划和实际支出金额。

(3)费用工作表管理。支持以费用工作表的形式动态更新数据,辅助大藤峡管理层计划、跟踪和分析项目投资成本。

3. 综合统计分析

(1)统计报表。根据大藤峡工程项目管理的要求,提供全面的项目统计报表。

(2)模板管理。支持报表模板管理,使得各级用户可以从模板库中选择合适的模板,并支持基于模板的报表定制,以满足个性化需求。

(3)综合分析。支持各级用户针对项目的情况进行相应的分析,如支持对所有合同项目的评估和分析;支持对大藤峡所有工程投资进行汇总和分析;支持对任意工程之间的横向对比分析,包括概算、已投资额、工程进度、变更分析等。

(4)图表显示。对各种统计分析支持图像化显示方式,包括图表、仪表盘等。

4. 项目 KPI

(1) KPI 计算。根据项目考核要求,设定项目 KPI,并从相应的工程建设项目管理模块中抽取相应的数据,自动形成相应的预警指标。

(2) KPI 设置。支持灵活定义多套可量化的项目评估的标准或指标,以及相关的计算方法和数据获取方式,支持按照年度或季度对项目进行评估。

5.3.13.4 移民管理栏目

以图、文、表、音(视)频等方式,结合应用模板搭建移民安置情况、移民计划情况、移民资金情况、移民进度情况等各部件。

5.3.13.5 智能温控栏目

以图、文、表、音(视)频等方式,结合应用模板搭建温控信息评价、温控仿真分析、开裂风险预警、防裂智能控制、温控优化调整等各部件。

5.3.13.6 水情测报栏目

以图、文、表、电子地图等方式综合展示各类水情监测点实时监测的监测信息和预警信息。

5.3.13.7 视频监控栏目

整合已建各个视频监控点,实现各视频监控点基于库区电子地图实时监视。

5.3.14 移动应用模块

移动应用模块主要包括基础平台、焦点新闻、待办事项、流程审批、业务工作台、关键绩效、系统管理、移动采集等功能,其功能结构如图 5-17 所示。

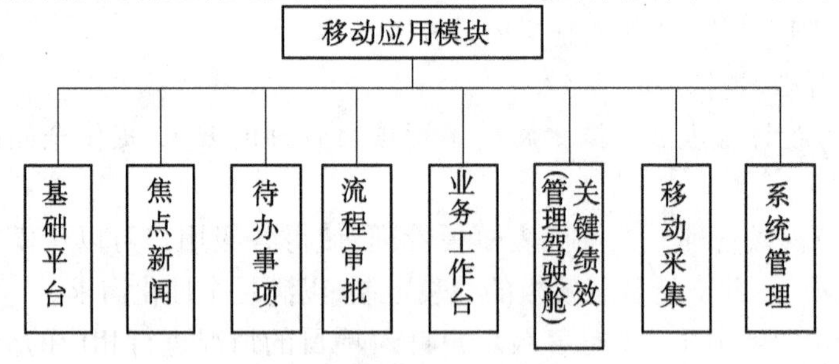

图 5-17 移动应用模块功能结构

5.3.14.1 基础平台

开发移动应用基础框架,支持 IOS 及 Android 两个移动设备操作平台,具有良好的扩展性,便于后期功能快速开发、扩展和完善。

5.3.14.2 焦点新闻

整合集成门户网站焦点新闻栏目信息，实现公司重大活动新闻移动查看。

5.3.14.3 待办事项

以列表方式综合展现项目管理相关的所有审批、责任事项、工作通知和系统预警消息，实现相关待办事项的移动办理。

5.3.14.4 流程审批

在移动APP上能够处理的审批事项包括但不限于合同会签、合同防伪查询、合同变更、合同支付、工程计量、进度款申请、物资采购申请、供应商准入申请。

5.3.14.5 业务工作台

通过移动平台，可以发起的业务类型包括但不限于计划任务执行情况反馈、质量检查记录、安全检查记录、工程日志、工程报量、现场任务执行、状态报告。

5.3.14.6 关键绩效(移动管理驾驶舱)

建设移动管理驾驶舱载体，包括项目进度执行情况、项目形象进度、项目招投标进展情况、项目投资完成情况、项目质量分析、项目安全危害分析、项目合同台账、主要物资累计收支、库存趋势等总体情况。

5.3.14.7 移动采集

建设移动采集功能模块，对现场施工进度检查、现场验收评定、特种作业安全检查提供移动支持，实现对现场施工进度检查、现场施工验收评定、现场特种作业安全隐患排查等信息(文字、图片和视频)的移动采集。

5.3.14.8 系统管理

修改密码、清除缓存、退出登录及寻求技术支持等内容。

5.3.15 BIM管理模块

采用BIM技术，开展项目规划、勘察、设计、施工、质量管理等方面的技术应用，结合BIM建模，实现工程建设的成本和进度、质量、安全控制等方面的可视化、虚拟化的协同管理。

BIM管理可以使项目参建各方，包括设计、施工总承包、代建方、监理单位以及专业分包等都在BIM平台上进行管理共享，并且建立与工程项目管理密切相关的基础数据支撑和技术支撑，大大提升项目协同管理效率。同时，在项目建造过程中，不断维护、完善的BIM模型；在项目建成后，可以形成物业运维模型，为项目的运行维护平台提供数据支撑。

BIM 管理模块主要包括 BIM 建模、BIM 构件管理、BIM 进度管理、BIM 质量安全模拟、BIM 5D 模拟等功能,其功能结构如图 5-18 所示。

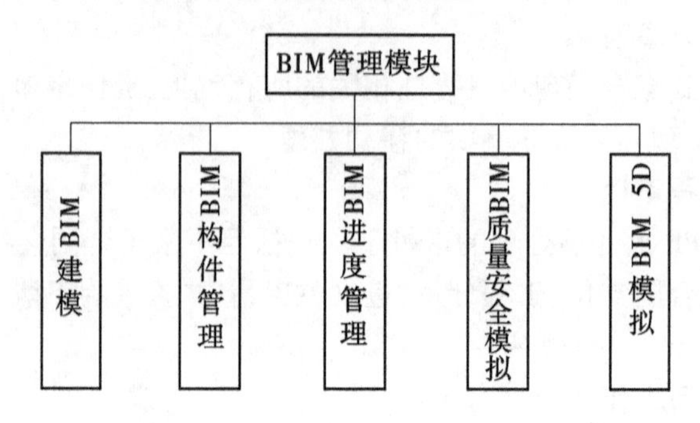

图 5-18　BIM 管理模块功能结构

5.3.15.1　BIM 建模

通过 BIM 建模,实现工程三维枢纽方案布置以及立体施工规划,快速直观地建模和分析功能,可轻松、快速帮助布设施工场地规划,有效传递设计意图,并进行多方案比选。

1. 建模类型

BIM 三维建模的类型包括测绘 BIM 设计模型、地质 BIM 设计模型、枢纽 BIM 设计模型、工厂进度 BIM 设计模型、水电 BIM 施工模型和水电 BIM 运维模型。

2. 建模范围

(1) 土建结构。进行泄水闸、大坝、厂房、船闸三维体型建模,实现坝体参数化设计,协同施工组织实现总体方案布置。

(2) 施工导流。导流建筑物如围堰、导流隧洞及闸阀设施等及其相关布置按照规定进行三维建模设计。

3. 建模精度与内容

(1) 根据建设部建模标准,模型精度要求为 LOD 300。

(2) 三维模型应满足工程的施工和运维的使用要求。

(3) 全专业全信息三维模型。

(4) 三维模型须包含模型内容、结构、描述和构件信息。

(5) 提供所有涉及的构件库。

(6) 建立各类模型之间的装配关系。

(7) 三维模型应包含专业各类型构件/设备的功能属性信息、各类主数据的逻辑关系、各类文档与主数据之间的关系。

(8)电站三维模型采用 KKS 编码。

5.3.15.2　BIM 构件管理

基于 BIM 技术的业主方档案资料协同管理平台,可将施工管理中、项目竣工和运维阶段需要的资料档案(包括验收单、合格证、检验报告、工作清单、设计变更单等)列入 BIM 模型中,实现高效管理与协同。

1. 构件视图管理

实现工程模型构件结构用户自定义组织,可按专业策划、合约规划、供应商策划、流水段规划、采购策划等重新组织三维结构树,可查询属性快速定位构件,支持高亮及定位展示重新组织的视图构件。支持构件属性添加扩展。

2. 工程量导入关联

实现工程量清单 Excel 导入,建立工程模型构件与工程量清单的对应关系,使工程量清单与模型构件建立关联关系。

3. 设计文档关联

实现二维、三维设计文档与模型构件关联,并支持 Dgn\Dwg\Dwf\Office\Pdef 等二维、三维设计文档在线预览。

4. 质量验收标准关联

实现质量验收标准与模型构件关联,通过模型构件在线预览其验收标准。

5.3.15.3　BIM 进度管理

通过 BIM 技术实时展现项目计划进度与实际进度的模型对比,随时随地三维可视化监控进度进展,提前发现问题,保证项目工期。对于施工进度提前或者延误的地方用不同颜色高亮显示,同时进度计划也支持进度计划软件导入,只要跟模型进行一次关联就可以,后续时间修改可以直接在模型上体现。

1. 施工进度计划及构件与任务关联

支持进度计划软件计划导入,实现施工进度计划与模型构件的关联,可通过模型构件颜色直观查看及区分任务完成状态,查看任务所关联的构件详细属性。

2. 任务资源管理

支持进度计划资源分配及管理、可查看显示甘特图。

3. 任务人材机管理

支持人材机费用与进度计划的关联管理。

4. 任务工单管理

支持任务的多级分解,以派工单形式下发到施工人员。

5.3.15.4　BIM 质量安全模拟

利用移动终端(智能手机、平板电脑)采集现场数据,建立现场质量缺陷、安全风险、文明施工等数据资料,与 BIM 模型即时关联,方便施工中、竣工后的质量缺陷等数据的统计管理。

1. 质量控制计划

支持质量控制计划的编制及管理。

2. 质量分部/分项/检验批策划

支持质量按照分部/分项/检验批进行策划,并且关联质量验收点。

3. 质量验收视图

支持工程三维模型按照所分解的分部/分项/检验批结构展示,通过颜色区分验收状态实现实时跟踪。

4. 质量日常巡检

支持微信、移动 APP 等移动端质量日常巡检,上传现场问题照片。

5. 质量验收

支持按照分部/分项/检验批等进行质量验收,发起验收流程,流程可用图形展示。

6. 质量问题整改

支持验收不通过的流程驳回,重新上传整改后照片进行对比。质量问题可进行及时微信等消息提醒。

7. 施工安全检查

支持日常的施工安全检查,通过微信、移动 APP 等移动端进行问题提交,可进行及时微信等消息提醒。

8. 安全问题整改与跟踪

通过三维模型进行安全问题跟踪。

5.3.15.5 BIM 5D 模拟

利用 BIM 多维度可视化的特点,对重要施工方案进行模拟。项目各方可利用 BIM 模型进行讨论,调整方案,快速调整相应 BIM 模型,最终确定最优的施工方案。

通过 BIM 5D 模拟,展示模型的进度模拟情况及资金、工时、工程量等消耗情况,并且与已经实际完成的部分进行对比分析。

1. 工时分析

分析进度计划模拟的计划工时以及已经完成进度计划的实际工时,支持以折线图等直观方式展现。

2. 资金分析

分析进度计划模拟的各月份的资金需求量,支持以折线图等直观方式展现。

3. 人材机分析

分析进度计划模拟的各月份的人材机需求量。

4. 工程量分析

分析进度计划模拟的清单工程量。

5. 工时损耗率分析

按照月、周、天等维度分析工时损耗率(工时损耗率 = 计划工时/实际工时),支持以折线图等直观方式展现。

5.3.16 三维应用模块

三维应用模块包括数据模型设计与建库、三维场景配置与发布、三维系统基础操作、实时监测信息集成与查询、三维计算与对比分析等,其功能结构如图5-19所示。

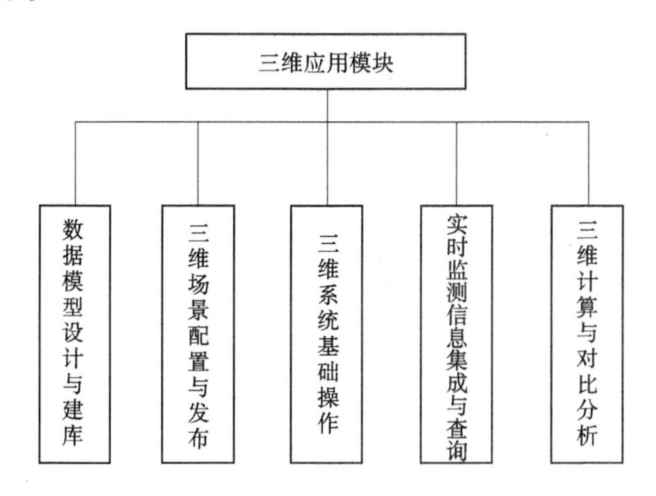

图5-19 三维应用功能结构功能

5.3.16.1 数据模型设计与建库

将项目管理数据、三维地理信息以及三维模型数据等梳理构建基于三维模型的项目管理信息系统的数据模型及数据库。整个数据模型及数据库构建总体上按照"空间分块,专题分层"的方式进行规划和设计,其总体设计根据空间数据概念上的划分,可分为基础地理数据库、基础影像数据库、空间元数据库、地图瓦片数据库、项目管理专题数据库、模型数据库。这些数据根据所表达地理信息方式的不同,分别采用矢量存储和栅格存储的方式,而对于相关的描述性属性数据，通常较为简单；或与空间要素密切相关的信息，如名字、长度、面积等，直接作为空间要素对应图层（表）的扩展属性项存在，其他一般信息，存储在另外的属性数据表（即对象类）中。

5.3.16.2 三维场景配置与发布

采用遥感影像、DEM数据、航摄影像等，建设虚拟三维场景，在三维场景中直观展现大藤峡工程地形地貌、水系分布及水利工程模型等信息，是基于三维模型的项目管理的基础，主要包括基础影响处理、海量数据处理、三维场景展示。

- 基础影像处理。包括常规影像处理、影像纠正、多源遥感影像配准、影像融合等。

- 海量数据处理。利用内存数据组织技术、数据动态装载/卸载技术、纹理动态载入技术、复杂消隐技术（CG）、多分辨率模型（CG）以及相关的其他技术实现不同尺度海量数据的连续浏览，以及整个数据从宏观纵览到每个局部细节的表现。

- 三维场景展示。将数据按不同比例尺进行分层，展示工程范围三维场景及大藤峡工程控制流域三维场景，实现数据的无缝切换。

5.3.16.3 三维系统基础操作

三维系统基础操作功能包括三维浏览、场景管理、图层管理、三维模型叠加、查询与定位、长度面积高程量测、地形拔高与剖面图绘制、飞行控制等。

(1)三维浏览。三维浏览包括放大、缩小、全图、平移、导航、飞行等功能。

(2)场景管理。包括场景设置、场景操作、场景管理、典型场景功能。

(3)图层管理。本模块主要功能是显示图层列表（包括当前场景上叠加显示的各类GIS数据层、业务数据层），并对列表中的图层进行显隐控制。

(4)三维模型叠加。支持三维粗放模型和精细模型的动态加载和显示浏览功能，模型格式包括3dmax、sketchup等通用三维模型数据格式。

(5)查询与定位。本模块主要功能是空间查询（在场景中以点选等方式选取目标地物查询其信息）、属性查询（通过输入目标地物的属性关键字的方式来查询其信息）、飞行定位（在场景中快速飞行定位至目标地物）、坐标位置查询（查询鼠标当前点的经度、纬度、海拔等坐标位置信息）。

(6)长度面积高程量测。本模块主要功能是在场景中以点击画线、画面等方式进行线段长度、图形面积、高程的量算。

(7)地形拔高与剖、面图绘制。本模块主要功能包括地形拔高（手动对地形进行不同倍率的拔高操作）、地形剖面图绘制（绘制当前范围内两点间的地形剖面图）。

(8)飞行控制。按照指定线路开始飞行。飞行可以自定义飞行线路。

5.3.16.4　实时监测信息集成与查询

项目管理实时监测数据主要包括视频监控系统、无人机等实时监测设备采集的施工现场实时信息以及项目管理系统实时录入的相关信息。将实时监测信息与三维模型进行集成,可以实现:

(1)对视频监控或者无人机采集数据不同时间段的数据定时进行比对,计算相关时间段内工程量的差距,快速实现进度的对比,还可实现项目管理相关的计算。

(2)视频监控或者无人机采集数据与系统录入的相关信息进行比对,一方面核算上报数据的正确性,另一方面监督相关数据是否上报。

(3)实时监测信息与模型数据进行比对,进行项目管理中实测值与预算值的比对。

5.3.16.5　三维计算对比分析

三维计算包括河道断面数据提取、地形坡面分析、坡度分析、土方量分析、视域分析等,可以对模型以及实时监测数据进行相关计算。

5.4　应用支撑

5.4.1　商业支撑软件

应用支撑层需要购置的商用支撑软件主要包括进度计划基础软件、数据库管理软件、应用服务器中间件、地理信息服务平台 GIS 软件、报表工具软件、设计软件浏览器和备份软件,提供信息系统软件支撑。

购置商业支撑软件如表5-2 所示。

5.4.2　开发类支撑软件

在商用支撑软件的基础上构建开发类通用支撑软件,主要包括流程引擎软件及二次开发、搜索引擎软件及二次开发和消息引擎软件及二次开发。

5.4.2.1　流程引擎

工作流控制服务(Workflow Control Service)主要提供复杂的工作流引擎处理、图形化工作流定义、丰富的工作流模板订制等,如图5-20 所示。

表5-2 商业支撑软件购置

序号	产品名称	性能指标	单位	数量
1	进度计划基础软件包	跨项目进行逻辑关联和进度计算;基于CPM算法,能够自动计算项目关键路径;能够显示甘特图,并用不同颜色区别关键与非关键,已完成和未开始等作业状态;能够输出单代号网络图;能够加载资源并进行资源负荷分析和自动进行资源平衡功能;能够进行赢得值计算并自动绘制赢得值曲线;能够自定义计划相关的报表;甘特图和网络图支持打印功能;能够基于大型关系型数据库;能够进行多项目管理和项目组合管理;能够定义多用户,以及每个用户的功能权限	用户	10
2	数据库管理软件	支持主流硬件平台、操作系统平台;具备OEM(企业管理器)功能,数据库产品应具有统一图形界面的管理;至少支持的数据库技术标准有:ANSI/ISO SQL99、ANSI/ISO SQL89、ANSI/ISO SQL92E、ODBC 3.0、X/Open、CLI、JDBC等。语言要求完全支持中文国家标准GB 2312—80的中文字符的存储处理,支持UNICODE通用编码格式;支持海量数据存储,支持大到TB级甚至PB级数据量的存储管理;支持在线备份与恢复,支持多级增量备份,支持基于磁盘的备份,基于时间点的快速恢复,支持多种数据复制方式(如单向、双向复制、复制表中部分行或列等);提供包括数据库、日志镜像、自动恢复、数据一致性校验和集群机制在内的数据库容错机制;支持集群处理,并且集群服务器能够支持联机处理和数据仓库应用	CPU	2

续表 5-2

序号	产品名称	性能指标	单位	数量
3	地理信息服务平台	具有网络发布功能,能够快速传送三维地理数据(如影像、地形、三维模型、矢量数据等);支持高级标注放置、冲突检测,如标注与要素的自动避让,自动去除重复标注,多标注的自动换行等,提供索引型标注;支持地图和场景的共享。提供标准统一的发布体验,用户可以从桌面端轻松发布 GIS 资源(如地图、图层、场景等)到组织或云端。支持发布地理处理服务,能够将桌面端进行的地理处理流程和结果分享发布为服务在 Web 端使用;支持基本的地图浏览、图层管理、空间和属性查询、统计图表和报表生成、地图符号化以及制图打印;支持多种专题图制作;支持矢量数据贴地显示;支持矢量数据编辑;支持常用国产遥感卫星影像产品,能够完成国产卫星影像的影像融合、大规模影像管理和快速发布,要求支持的卫星至少包括高分一号、高分二号、环境卫星、资源一号、资源三号、天绘一号等;支持常用国外遥感卫星 Level1 和 Level2 级标准产品的大规模影像管理和快速发布,要求支持的卫星至少包括 Landsat8、SPOT7、Pleiades - 1、QuickBird、WorldView - 3、GeoEye - 1 和 Sentinel - 2;支持激光雷达数据,能够对其集成管理、进行栅格表面分析,以及发布为影像服务进行共享	套	1
4	通用报表中间件	采用拖拽式、所见即所得的报表编辑器;支持多样的向导来简化复杂的报表设计任务;具有超过 30 个排版和格式化工具;支持报表可转换为 PDF、Html、Excel、Flash、Csv、Rtf、Txt、OpenOffice、Java2D、JRViewer 等格式;支持所有有效的数据源,如 JDBC、CVS、Hibernate、JavaBean 等;支持用户自定义数据源;支持无限次数的撤消/重做;集成脚本(scriptlet)支持;内置图表支持:超过 20 种的图表支持,并可扩展。国际化:集成超过 15 种语言;支持报表模板与报表库样式管理;支持源文件的备份;支持文档结构浏览器	套	1

续表 5-2

序号	产品名称	性能指标	单位	数量
5	设计软件浏览器	浏览:在单一界面打开如 Dwg\Office\PDF 等多种文件格式,无须原设计软件支持,正确、快速、安全;标注:对图面进行几何图形、文字红线注释,并可将测量结果标注于图面,打印时可选择是否连同标注一起打印;测量:可测量 2D 图面的距离、面积、角度、弧度,3D/EDA 距离、表面积、弧度、边长、点坐标等;查找:可对文件及图面字符进行查找;比较:可对 2D 图面进行比较,查看其变更和改动;能够与其他系统和专业工具集成应用	用户	5
6	应用服务器中间件	支持 Unix、Linux、Windows 等主流操作系统;支持 MS SQL Server、Sybase、Oracle、DB2 等主流数据库系统;具备基于 WEB 的管理控制台;具备群集技术,拥有处理关键 Web 应用系统问题所需的性能,如可扩展性和高可用性;支持多种标准如 EJB、JSB、JMS、JDBC、XML 和 WML 等;通过一组服务器协同工作,在多台机器间复制应用表示层和应用逻辑层,实现关键业务系统的负载分布,消除个别故障点;能够与通用关系型数据库、操作系统和 Web 服务器紧密集成	套	1
7	备份软件	支持对跨服务器平台(包括 AIX,HP－UX、Solaris、Linux 和 Windows)等多应用跨平台备份;具备 SQL Server、Sybase、Oracle、DB2 数据库的在线备份和离线备份;提供全面的数据保护机制,包括操作系统、数据库、应用软件数据的持续备份、恢复;具备 LAN－base、LAN－free 等多种备份方式。支持全备份、增量备份、差分备份、合成全备份等多种备份方式,支持备份数据备份到磁盘阵列、磁带库;支持以 AES256 位加密算法对备份数据进行加密,支持基于源端的备份数据压缩技术	套	1

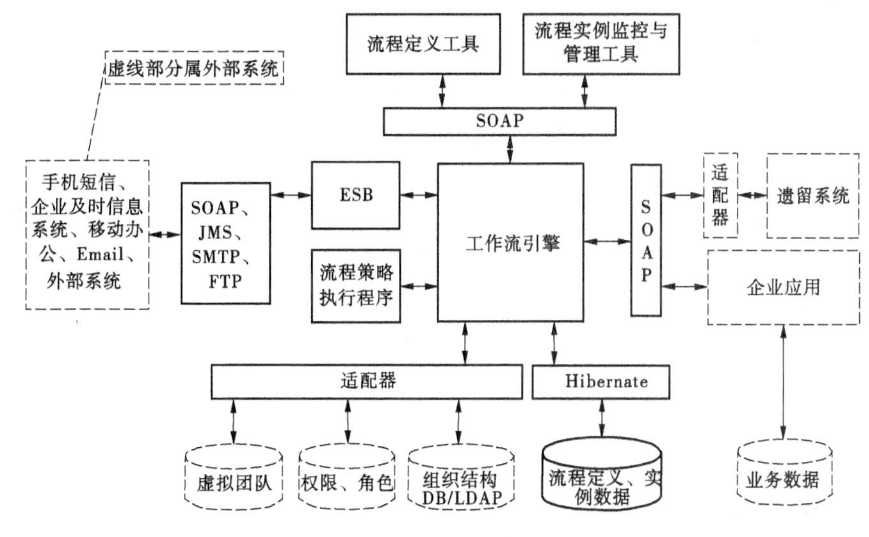

图5-20　流程引擎结构

工作流又称业务过程自动处理，主要干预过程、业务流程的自动化处理，文档、信息或者任务按照定义好的规则在参与者间传递，来完成整个业务目标或者对整个业务目标的完成做贡献。本工作流引擎符合工作流管理联盟（WFMC）规范，同时溶入了国内电子政务与电信等行业的特征需求。提供灵活的流程调度模型、强大的任务处理机制、完备的任务代理模型、高性能的工作流引擎、支持需求分析阶段的即时流程模拟和调试、严密的安全机制、图形化的实时监控、遵循标准并本地化扩展。

1. 流程效率

1）人员效率

提供各人员操作具体系统、具体流程、具体环节在各节点平均处理时间等信息的查询。

2）超时文档

提供具体系统、具体流程、具体环节在各节点超时的文档信息的查询。

3）活动效率

提供具体系统、具体流程，在各节点处理时间及总耗时等信息的查询。

4）超时提醒

在流程某环节快要超时或已超时时，系统自动调用短信网关、邮件接口或微信发送短信或邮件提醒用户。

2. 配置操作人

在此模块中将流程配置中的环节操作人选取，以及路由操作人选取功能信息提取出来——包括对活动或路由中人员、组织的配置，目的是控制某些用户只能对操作人信息进行修改而无法对流程信息进行修改的状况。

3. 授权设置

用户设置某个系统下全部或者具体业务类型的处理待办权限转移，当设置了被授权人和授权时间段并启用后，在这段时间内该业务类型下其他人提交给其处理的待办，被授权人同时也会产生一条同样的待办数据，如果被授权人处理了该条待办，则当前用户不再需要进行处理。

4. 流程意外处理

流程意外处理功能主要用于解决在业务流转过程当中出现的一些意外情况，在流程配置中无法提供的操作问题，为业务的流转提供一些意外处理功能，对系统中的所有业务文档进行统一管理。

该模块主要包括以下几个方面的功能：

(1)跳转。对流程进行意外处理，系统管理员干预流程流转，将流程提交到指定环节和指定操作人手中而产生新的待办。

(2)终止。非正常流程归档，在流程流转过程中强制结束流程，流程一旦终止则所有活动终止。

(3)挂起。针对待办消息而言，在流程流转过程中，暂停流程活动。

(4)流程恢复。同挂起相对应，恢复暂停流转的流程。

(5)回退。将待办退回到上一环节。

(6)删除消息。是删除某一条待办或已办记录。

(7)删除文档。删除此记录所属流程的所有流程记录以及表单信息。

(8)变更处理人。变更某待办的当前处理人。

5. 工作列表配置

提供待办、已办列表页面显示信息的配置。

6. 工作日定义

配置工作日的目的主要是准确计算两个日期之间的工作日天数，有些工作需要在数个工作日内完成，通过工作日配置可以对这些工作实行监督。

工作日定义模块提供的功能包括工作日的新增、删除、修改。

7. 流程配置

基础平台的流程配置功能要适应各种不同的业务场景，要满足企业的分支、聚合、多人处理、会签等各式的需求，流程配置情况很复杂。首先，简单地介绍一下流程配置中的一些基本概念。

流程配置主要提供以下功能：

(1)流程的基本定义——包括流程的新增、删除、修改、查询等。

(2)流程流转过程配置——主要包括以下几点业务场景：会签、流程分支、同步/异步子流程以及条件路由配置等。

(3)流程选人配置——活动参与者策略的多情况配置以及过滤条件配置。

(4)流程表单中可编辑字段、可进行的操作以及时限控制。

5.4.2.2　搜索引擎

企业内部的搜索服务，具备业务特性，需要将搜索结果参与企业的运营和决策。所以通过搜索引擎提供的服务，必须能够动态地反应实际情况，即当内部的信息发生变化时，必须能够实时反应或者在尽快允许的时间内实现信息数据同步，而对于附件的全文检索，文件可能较大，实时性可以延迟。

搜索应用服务支持分布式部署，需要满足分布式索引。各个分散的索引可以存储在各应用系统服务器上，也可以由门户搜索实现类似群集部署方式进行搜索分布存储，门户搜索应用可以将从这些分散索引返回的结果合并，然后返回给客户端，搜索引擎工作流程如图 5-21 所示。

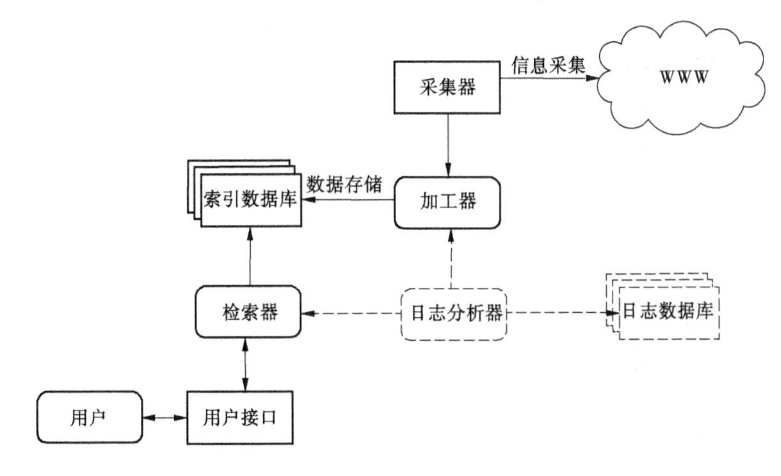

图 5-21　搜索引擎工作流程

1. 搜索参数设置

索引字段配置，针对需求索引的模块，进行选择需要索引字段，绑定索引标题，简要说明、索引字段等。

2. 搜索字段配置

索引维护界面列出所有索引文档，用户可以在界面上进行增删改处理，并可以查询定位到具体索引文档。

3. 搜索权限设置

在应用系统中，许多数据是需要保密的，在搜索的同时需要过滤权限，利用软件平台中完整的权限架构模型，即搜索出来的数据，再结合权限架构的过滤，最后把有权限的数据显示给用户。

4. 索引定时更新

设计索引数据定时更新，管理员可以根据服务器的性能、功能的更新情况，设置数据库与索引库的同步时间。

5. 索引数据管理

由系统管理员对搜索应用索引进行维护，可以增删改所有索引数据。索引字段配置后，点击生成索引生成的索引数据文件，存储于 BPSE 下指定的文件目录下。

5.4.2.3　消息引擎

消息引擎实现企业内部员工和团队之间的实时沟通和快速的信息共享、讨论和分发，实现企业信息资源整合和工作的协同，从而提高企业内部信息共享能力，提高员工的沟通效率和工作效率，消除关键性业务流程中的管理与执行的延迟，提高企业竞争力。

消息引擎实现企业内部员工和团队之间的实时沟通和快速的信息共享、讨论和分发，实现企业信息资源整合和工作的协同，从而提高企业内部信息共享能力，提高员工的沟通效率和工作效率，消除关键性业务流程中的管理与执行的延迟，提高企业竞争力。

1. 组织架构

可清晰查看由树型目录表达的多层次企业组织架构。企业管理员可按企业实际情况建立无限级的企业组织构架，结合人员设置等信息立即展现企业组织构架和人员信息，极大地方便了企业的内部沟通和管理。

2. 快速搜索栏

提供企业人员的快捷搜索，根据账号、拼音、中文姓名等关键字，可以进行模糊查找。

3. 即时通信

方便、快捷地即时消息发送与接收，提供不同颜色字体的文字，支持截图、表情、图片和文件发送、语音、视频等功能。

4. 查看聊天记录

对所有消息的历史记录进行查看、查找、导出、删除等。

5. 讨论组

企业可随意根据公司部门、项目创建任意的讨论组,实现多人同时聊天、文件共享。

6. 群发消息

可将一条消息同时发送给某个群组或部门的所有成员。

7. 文件传输

局域网中的文件可采用点对点的传送,实现高效、稳定的数据传输。

8. 邮件发送

可以直接调用默认的邮件客户端程序,向联系人设置的默认邮箱发送邮件。

9. 文件共享

在群组及部门沟通模式中,上传文件至文件共享库,所有群组人员或部门成员可以自行下载浏览,快速实现文件共享。

10. 远程协助

远程协助提供一个及时、高效、安全地解决困难的渠道。可以通过远程协助获得他人的帮助,也可远程对方计算机的桌面,远程会话发起者可以查看或控制对方的桌面,让你用自己的键盘和鼠标获得即时援助。

11. 消息通知

提供广播消息和系统消息,通知全公司用户关键信息,比如通知开会、宣布放假、向所有员工发送通知或发送到选定的组/用户等。

12. 第三方统一消息

通过 web service 接口接收任何其他平台发送的消息,实现实时提醒,将“人找事”转化为“事找人”。

5.4.3　通用服务平台

通用服务平台包括统一搜索、待办、信息发布、指标与报表管理和决策支持,其功能结构如图 5-22 所示。

5.4.3.1　统一搜索

关键字查询是搜索最基本的功能,用户只需要输入关键字便可以查询相关匹配的内容信息,而查询的其他功能也都是基于关键字查询的扩展。

用户在关键字查询的时候,需要按照中文的使用习惯,给出一些常用的词

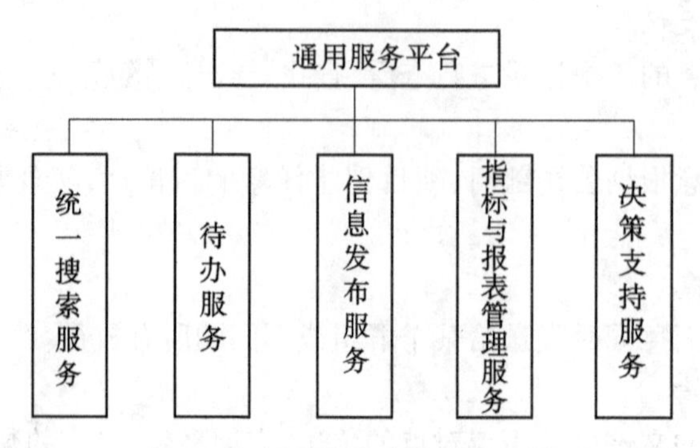

图 5-22 通用服务平台功能结构

语、查询较多的相应关键字来自动完成关键字输入;而用户输入英文字母时也给出一些常用的英文单词进行自动匹配提供选择。

搜索返回的结果默认按照索引生成的最近时间进行排序,最新生成的索引展现在最前面。主要实现以下功能:

(1)全文检索。

(2)统计报表结果搜索。

(3)按模块搜索。

(4)多关键字搜索。

(5)关键字高亮显示。

5.4.3.2 待办服务

工程建设过程中,会有各种流程运转。为了方便流程各环节处理人能及时准确地获取所负责环节的处理工单,特设立待办列表,用于集中展示该处理人所有待处理的工单事项至综合门户。

5.4.3.3 信息发布服务

通过信息发布平台,为各部门提供信息发布至公司门户网站的统一窗口,使各部门间的信息互通和交流成为提高企业办事效率、信息及时交流的重要手段,同时对大藤峡水利枢纽工程进行有效可控的宣传。

5.4.3.4 指标与报表管理服务

(1)指标管理。对于工程建设期的各类指标,实现 1 次录入和计算,完成对各部门共享指标数据的管理。对指标显示要求体符合管理要求,使用满足管理要求的报表工具,完成指标的计算和显示。

(2)报表管理。统一管理大藤峡公司内部、外部的报表,实现 1 次录入和计算,完成对各部门共享数据管理。

(3)报表输出。能够转换为PDF/Excel/Word等文件输出。

5.4.3.5　决策支持服务

1. 模型库

使用数学方法将客观事物的变化用数学方法表现出来,将事物外界或内部条件的变化用自变量表示,将要反映的事物变化用因变量表示。数学模型是辅助决策的重要手段,模型库是数学模型的集合,它按照一定的组织方法,将数学模型有机地汇集起来,由模型库管理系统统一管理。实际的决策者就可以利用模型程序在计算机上执行,计算出结果,得到辅助决策信息。

2. 方法库

它为各种模型的求解分析提供必要的算法以及为用户的决策活动提供所需的方法。方法库中的方法通常可以包括各种优化方法、预测方法、统计方法、对策方法、风险方法、矩阵方程求解等。方法库管理系统还应具有与数据库、模型库进行交互的能力以及为用户选择算法提供灵活方便的交互揭示功能。

3. 知识库

建立结构化的工程建设管理强制性标准、行业规范及历史经验数据库,形成比较全面有组织的知识集群,针对某一(或某些)领域决策问题的求解,采用某种(或若干)知识表示方式在计算机存储器中存储、组织、管理、运算、分析。

4. 智能分析

根据人机对话信息,以模型库和方法库的数据信息为基础,针对不同的分析主题采用多维分析工具,提供不同决策条件下的系统输出,为管理决策提供技术支持。

5.5　运行环境

5.5.1　云计算基础平台

云计算基础平台由物理资源、虚拟资源、云管理平台组成。物理资源部分主要有物理设备组成,包括服务器、存储和网络等基础设施资源;虚拟资源是通过虚拟化软件对基础设施设备进行池化形成虚拟资源池;云计算管理平台就是对底层物理资源池和虚拟化软件进行管理,并且针对管理和运维需要,云计算管理平台实现云计算服务的交付和云计算中心用户和流程的管理以及资源的使用监控。云计算基础平台架构如图 5-23 所示。

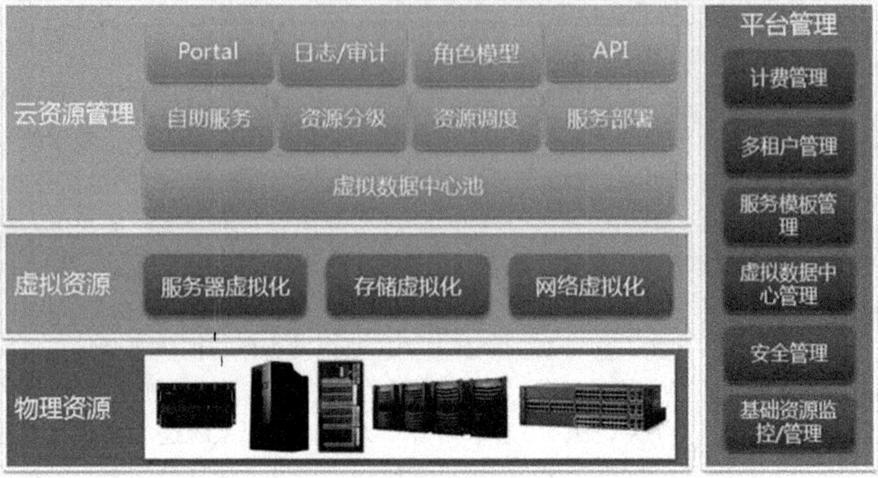

图 5-23　云计算基础平台架构

通过云计算技术对计算、存储、网络进行虚拟化管理,形成统一的云计算基础平台。云计算基础平台包含云管理、计算资源池、存储资源池等三个方面,平台拓扑如图 5-24 所示。

(1)接入控制。用于对终端的接入访问进行有效控制,包括接入网关、防火墙等设备。

(2)虚拟化资源池。通过在计算机服务器上安装虚拟化平台软件,然后在其上创建虚拟机,存储用于向虚拟机提供系统盘、数据盘等存储资源。

(3)资源管理。云资源管理及调度,主要是对各种云物理资源和进行管理。创建虚拟机时,为虚拟机分配相应的虚拟资源,包括云管理服务器、集群管理服务器。

(4)硬件资源。包括服务器、存储、交换机。

5.5.1.1　计算虚拟化设计

虚拟化是云计算的基础,在计算虚拟化中心,通过虚拟化技术将物理服务器进行虚拟化,具体为 CPU 虚拟化、内存虚拟化、设备 I/O 虚拟化等,实现在单一物理服务器上运行多个虚拟服务器(虚拟机),把应用程序对底层的系统和硬件的依赖抽象出来,从而解除应用与操作系统和硬件的耦合关系,使得物理设备的差异性与兼容性与上层应用透明。不同的虚拟机之间相互隔离、互不影响,可以运行不同的操作系统,并提供不同的应用服务。

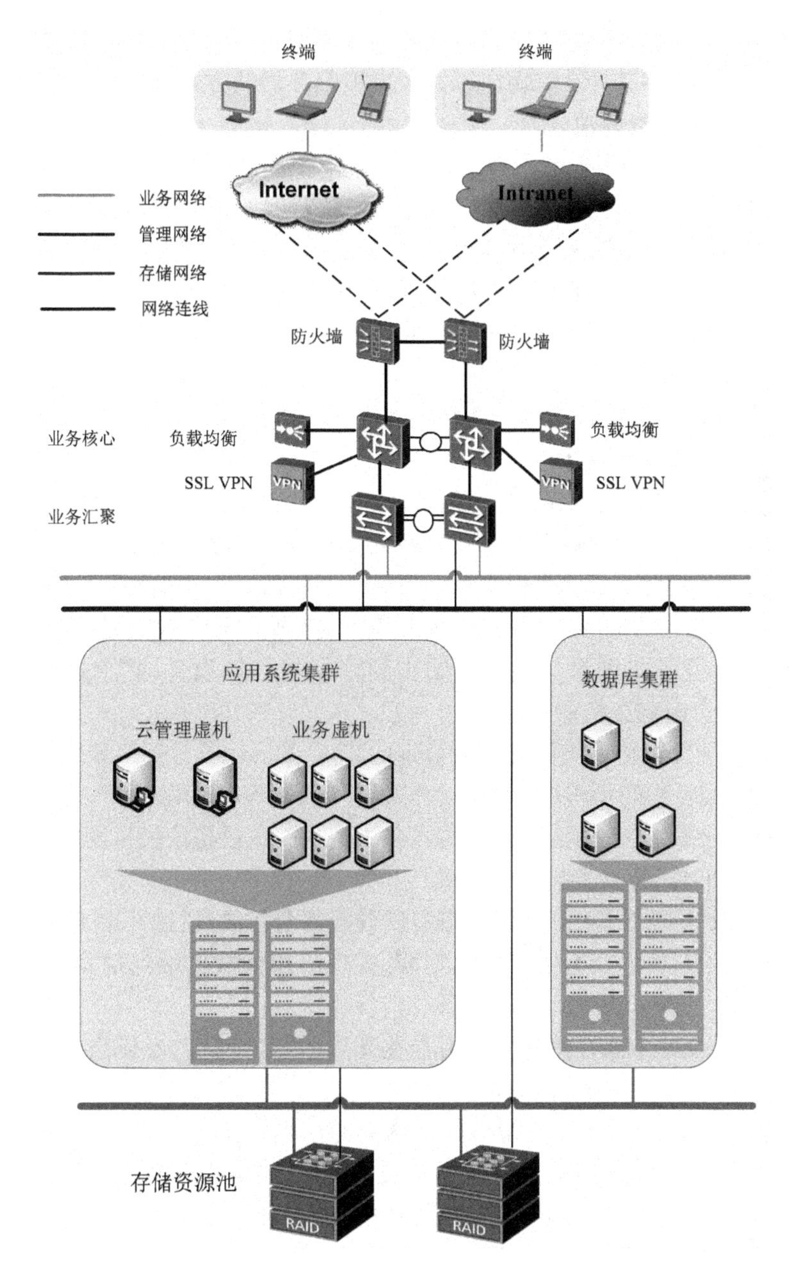

图5-24　云计算基础平台拓扑

1. 计算虚拟化资源池设计

服务器是计算虚拟化中心的核心,其承担着中心“计算”功能。对于计算虚拟化中心的服务器,通常都是将相同或者相似类型的服务器组合在一起,安装云操作系统,使其计算资源能以一种虚拟服务器的方式被不同的应用使用,即所谓的虚拟化资源池。

2. 虚拟化资源池部署

结合系统运行需求,考虑未来发展,计算资源池采用4台高性能服务器部署物理集群进行构建,每台服务里服务器配置4颗英特尔至强E7八核处理器,整个资源池共计128个计算核心;每台服务器配置384 GB内存,平台共计1.5 TB内存容量,预计可发放至少40台虚拟机。

3. 数据库服务器

数据库服务器直接采用4台高性能服务器部署物理集群进行构建。

5.5.1.2 存储双活设计

通过存储层面的双活,实现两阵列间的互备保护。两台存储设备上的LUN被虚拟化为一个虚拟的卷,主机写入操作通过卷虚拟化镜像技术同时写入这两个存储设备,保持数据实时一致。其中任何一个存储设备故障,虚拟卷仍能提供正常的I/O读写能力,主机业务不受影响。待存储设备恢复正常后,存储虚拟化设备将增量数据后台同步到修复的存储设备,整个过程对主机“透明”,不会影响主机业务。

同时,结合主机层集群技术如Oracle RAC、Windows MSFC、VCS等实现业务连续性本地高可用解决方案,当故障发生时,确保备用服务器、备用网络和备用存储能快速自动地实现业务的冗余访问。避免设备故障引发的业务长时间中断,其平台架构如图5-25所示。

存储双活架构通过存储层镜像实现数据冗余存取,通过冗余FC/10GE链路实现多通道访问,结合主机应用集群,实现应用到数据端到端冗余访问,从而保障业务的高可用连续性访问要求。

配置两台集中式存储阵列作为本地高可用镜像储存,当任意一台存储设备发生故障时,不影响主机的业务访问。

配置一台服务器作为存储双活架构的仲裁服务器。

配置两台FC交换机,建立双冗余数据链路,满足主机到存储数据访问要求。当任何一台FC交换机故障时,不影响系统数据的连续访问。

5.5.1.3 可靠性设计

1. 服务器可靠性

服务器可靠性包括内存、硬盘、电源等多个层面的内容,主要内容如下:

(1)提供BIOS内存自检和ECC纠错技术。

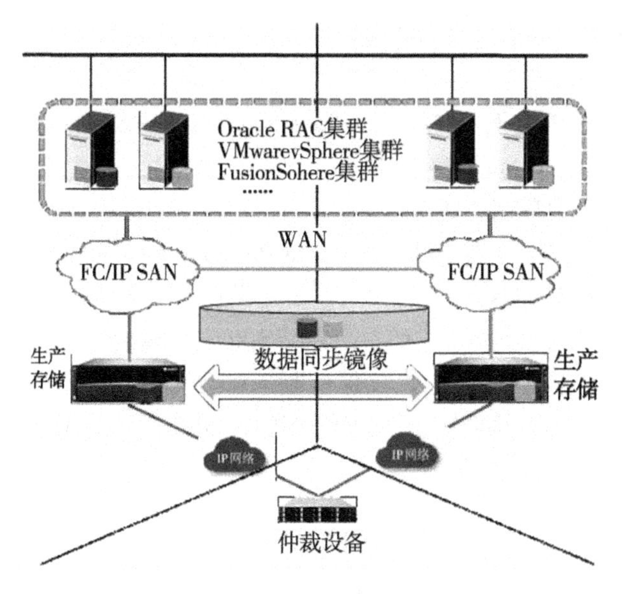

图5-25 存储双活架构

(2)支持硬盘热插拔和RAID功能,提供硬盘在线故障检测和预警。

(3)支持电源1+1冗余和热插拔。

(4)支持对CPU、内存、风扇、电源、硬盘等热关键器件的温度实时监控,设备故障时会产生告警,可以灵活对支持热插拔设备进行在线更换,不支持热插拔设备提前安排好业务后进行下电更换。配合智能的风扇调速和监控,确保系统运行的可靠性。

(5)多台服务器组成计算资源池,支持虚拟机的热迁移、HA功能。

2. 存储可靠性

1)存储多路径

每个计算节点与存储集群之间,至少配置两个完全冗余的路径,从而提供存储的多路径访问功能。多条路径间的故障切换由软件自动提供,从而避免单点故障带来的存储访问问题。

2)存储数据的冗余备份

采用SAN作为存储设备,在SAN高可靠性的基础之上,配置热备盘做冗余备份,保证数据不丢失和故障快速恢复。

3)存储冷迁移

在虚拟机关机情况下,通过管理员手动操作,将虚拟机的卷迁移至其他的存储单元中,可以在同一个VRM管理下的同一个存储设备内,不同存储设备间、设备块和存储虚拟化之间进行迁移。

4)存储热迁移

在虚拟机正常运行时,通过管理员手动操作,将虚拟机的卷迁移至其他存储单元中,可以在 VRM 管理下的同一个存储设备内、不同存储设备间、设备块和存储虚拟化之间进行迁移。

5)存储动态资源调度(DRS:Dynamic Resource Scheduler)

在存储热迁移的基础上,可以进一步提供存储 DRS 功能。虚拟化平台通过相关的数据采集(数据存储的空间使用率和 I/O 延时),并制定采集的数据制定相应的存储自动调度计划,以保证业务连续性的情况下根据设置的参数来实现存储资源的合理调度,使得集群下的存储资源在使用率和 I/O 性能上达到一定的均衡优化效果。

3. 虚拟化可靠性

1)虚拟机热迁移

提供虚拟机的自动迁移和手动迁移方案,当前计算节点出现故障或者计算节点负载过高时,可以把虚拟机迁移到正常的计算节点或者负载相对较低的计算节点上,保证虚拟机的正常运行。

2)虚拟机高可用性

虚拟机高可用性(HA)是虚拟机的一个特性,当虚拟机所在的物理服务器故障(如宕机、掉电等)或重启后,虚拟机可以自动在其他物理服务器上运行,保证虚拟机能够快速恢复,它可以保护用户的业务程序对外提供不间断的服务,把因软件、硬件、人为造成的故障对业务的影响降低到最小程度。

3)快照

系统提供虚拟机、卷快照功能,系统正常状态下,可以触发一个系统快照,用于在系统出现故障的时候还原系统。

4. 管理可靠性

1)计算和存储集群分离

通过采用计算集群和存储集群相分离的架构,提升系统的可靠性。计算集群完成虚拟机的按需分配以及集群内的热迁移,存储集群完成虚拟机的系统卷和用户卷的按需分配以及跨磁盘的存放。

2)管理节点 HA

管理软件均采用 1+1 备份或负载均衡的方式运行。当一个管理节点的软件出现故障的时候,系统自动切换到备用节点,保证整个系统不间断运行。

3)故障检测

支持服务器、软件和资源的监控。通过在每个被监控的节点上运行检测程序,系统可以收集服务器的核心指标如 CPU 使用情况、基础网络流量和内存数据等,检测到诸如进程异常、管理和存储链路异常,节点异常、系统资源过载等各种故障,使系统具备完善的故障检测能力。

支持故障信息收集和存储集群节点可用性度量,并且可以在 Web 浏览器中显示。用户可查看集群管理和系统的分配负载,确定是否有:负载均衡问题、失控进程或硬件性能下降的趋势等问题。该功能对合理调整系统资源、提高系统整体性能起到重要作用。历史记录允许查看集群每日、每周或者每年的硬件资源情况。

4)黑匣子

管理节点和计算节点引入电信领域"黑匣子"技术,在系统出现异常时自动存储内核日志、系统快照、内核诊断信息及临终遗言,并保存至非易失性存储设备(计算节点)或自动传送至网络服务器(如日志服务器),以便系统出现故障后,导出分析定位。

5)数据一致性审计

系统提供数据一致性审计功能,定时审计 VM 及其卷文件的相关数据和状态的一致性。当发现有异常的时候,会自动记录下来,以便维护人员做相应的判断和恢复措施,从而保证了系统内部各种相互关联的数据的一致性。

5.5.1.4　主要设备性能指标

1. 虚拟化服务器

虚拟化服务器技术指标及指标要求见表 5-3。

表 5-3　虚拟化服务器技术指标及指标要求

技术指标	指标要求
外观	4U 机架式,可支持导轨及理线架,可在线维护
处理器	支持 Intel Xeon E7 - 4800 v2/v3 系列处理器 处理器配置数量:4 个 E7 - 4800 v3 系列处理器 主频≥2.0 G,核数≥8,三级缓存≥20 M
内存	内存类型:ECC DDR3 RDIMM/LRDIMM 内存插槽 内存槽位:最大支持 48 个 内存配置容量:≥384 GB 支持 SDDC、双设备数据更正 DDDC、内存镜像、内存冗余位校验、ECC 校验,内存热备等技术

续表 5-3

技术指标	指标要求
存储	支持硬盘类型:热插拔 SAS/NL SAS/SATA/SSD 硬盘 硬盘配置容量数目:≥2 块 2.5 寸,单块要求≥300 GB, ≥10 Krpm 硬盘扩展能力:可扩展≥23 个热插拔 2.5 寸硬盘槽位 配置独立 RAID 卡,支持 RAID0/1/10/1E
集成网口	≥2 个 GE 网口 支持 2 个 GE、4 个 GE、2 个 10GE 网口灵活配置
I/O 扩展	PCI－E I/O 插槽总数:≥7 个 支持免开箱热插拔 PCI－E I/O 插槽 本次配置 1 块双端口 10Gb 以太网光口卡(含 10Gb 光模块) 本次配置 2 块单端口 8Gb FC HBA 卡(含 8Gb 光模块) 最大可支持 4 块双槽位 GPU 卡
电源	满配冗余热插拔 AC 电源,并提供配套的电源连接线 支持－48 V 直流供电 支持高压直流电源

2. 数据库服务器

数据库服务器技术指标及指标要求见表 5-4。

表 5-4　数据库服务器技术指标及指标要求

技术指标	指标要求
外观	2U 机架式
处理器	支持 Intel Xeon E5－2600 v3 全系列处理器 处理器配置数量:2 个 主频≥2.4G,核数≥6,三级缓存≥15 M
内存	内存类型:ECC DDR4 RDIMM/LRDIMM 内存插槽 内存槽位:最大支持 24 个 内存配置容量:≥64 GB 内存每个通道配置 2DPC 时频率可以支持到 2 133 MHz 故障 DIMM 标识隔离、单颗粒数据纠错(SDDC)、内存巡检、内存地址奇偶检测保护、内存过热调节、内存 Rank 冗余热备、Socket 内的内存镜像

续表 5-4

技术指标	指标要求
存储	支持硬盘类型：热插拔 SAS/NL SAS/SATA/SSD 硬盘 硬盘配置容量数目≥2 块 2.5 寸，单块要求≥300GB，≥10Krpm 可扩展≥27 个热插拔 2.5 寸硬盘 配置磁盘阵列卡，支持 RAID 0/1/10/1E 内置硬盘类型：支持双 Mini SSD 硬盘 内置存储：支持双 SD 卡，支持硬件 RAID1
集成网口	≥2 个 GE 网口 支持 2 个 GE、4 个 GE、2 个 10GE 网口灵活配置
I/O 扩展	PCI－E I/O 插槽总数：≥9 个（包括 RAID） 配置 1 块双端口 10Gb 以太网光口卡（含 10Gb 光模块） 配置 2 块单端口 8Gb FC HBA 卡（含 8Gb 光模块）

3. 集中式存储

集中式存储技术指标及指标要求见表 5-5。

表 5-5　集中式存储技术指标及指标要求

技术指标	指标要求
体系架构	支持 NAS、IP SAN 和 FC SAN；支持 SAN 和 NAS 一体化
存储控制器	支持多控架构，本次配置双控
存储缓存容量	配置统一存储缓存容量≥96GB，最大支持 512GB（统一存储缓存，不含任何性能加速模块或 NAS 网关缓存、FlashCache、PAM 卡，SSD Cache 等）
主机接口类型	支持 8Gbps FC、1Gbps iSCSI、10Gbps iSCSI、10Gbps FCoE，16Gbps FC，56Gb IB 以及 SmartI/O（4 口，支持 8/16Gb FC 和 FCoE）具备控制器在线主机接口 I/O 模块热拔插功能
前端主机通道接口	双控最大支持≥24 个主机接口 本次双控配置≥8 * 8Gbps FC 接口 + 8 * 1Gbps 以太网接口
后端磁盘通道	双控最大支持≥12 * 4 * 12Gbps SAS3.0 磁盘通道 本次双控配置≥4 * 4 * 12Gbps SAS3.0 磁盘通道
支持硬盘类型	支持 SSD、SAS、NL－SAS 3 种类型以上硬盘 配置硬盘 配置≥5 * 900GB 10K SAS 磁盘 + 20 * 1200GB 10K SAS 磁盘 + 8 * 4000GB 7.2K　NL SAS 磁盘

续表 5-5

技术指标	指标要求
支持 RAID	支持 RAID 0、RAID 1、RAID3、RAID 10、RAID 50、RAID 5、RAID 6 等
数据保护	支持数据快照功能,通过快照进行数据保护 支持克隆功能 支持数据卷复制功能 支持数据卷镜像功能 支持 FC 和 IP 的同异步复制功能 配置数据销毁功能,通过全 0 或随机数据覆盖写来销毁数据 支持数据加密(国密)功能 配置阵列双活功能 支持秒级 RPO 的异步复制功能,保障数据的完整性
虚拟化	虚拟机支持:VMware、Citrix、Hyper - V、FusionSphere 虚拟化环境增值特性:支持 VMware VAAI,支持 VSphere、VCenter 集成

4. 光纤交换机

光纤交换机技术指标及指标要求见表 5-6。

表 5-6 光纤交换机技术指标及指标要求

技术指标	指标要求
规格	1U 光纤交换机
端口数	共 24 个端口,以 12 端口的增量增加为 12 个和 24 个通用端口,激活 12 个端口,含 12 * 8Gb SFP 模块
端口类型	D_Port、E_Port、F_Port、M_Port、U_Port
端口速率	2、4、8 和 16 Gbit/sec
总带宽	≥768 Gbps(全双工)
管理性	Telnet、HTTP、SNMP v1/v3(FE MIB, FC Management MIB) 审核、系统日志、变更管理追踪 符合 SMI - S 标准,SMI - S 脚本工具集,管理域
电源	双交流电源

5. 存储双活仲裁服务器

存储双活仲裁服务器技术指标及指标要求见表 5-7。

表 5-7　存储双活仲裁服务器技术指标及指标要求

技术指标	指标要求
外观	2U 机架式
处理器	支持 Intel Xeon E5 – 2600 v3 全系列处理器 处理器配置数量:2 个 主频≥2.4G,核数≥6,三级缓存≥15M
内存	内存类型:ECC DDR4 RDIMM/LRDIMM 内存插槽 内存槽位:最大支持 24 个 内存配置容量:≥32GB 内存每个通道配置 2DPC 时频率可以支持到 2 133 MHz 故障 DIMM 标识隔离、单颗粒数据纠错(SDDC)、内存巡检、内存地址奇偶检测保护、内存过热调节、内存 Rank 冗余热备、Socket 内的内存镜像
存储	支持硬盘类型: 热插拔 SAS/NL SAS/SATA/SSD 硬盘 硬盘配置容量数目:≥2 块 2.5 寸,单块要求≥300GB,≥10Krpm 可扩展:≥27 个热插拔 2.5 寸硬盘 配置磁盘阵列卡:支持 RAID 0/1/10/1E 内置硬盘类型:支持双 Mini SSD 硬盘 内置存储:支持双 SD 卡,支持硬件 RAID1
集成网口	≥2 个 GE 网口 支持 2 个 GE、4 个 GE、2 个 10GE 网口灵活配置
I/O 扩展	PCI – E I/O 插槽总数:≥9 个 (包括 RAID) 配置 1 块双端口 1Gb 以太网网口卡

6. 虚拟化软件

虚拟化软件技术指标及指标要求见表 5-8。

表 5-8　虚拟化软件技术指标及指标要求

技术指标	指标要求
配置要求	包括虚拟化引擎和云管理等组件
基本要求	采用裸金属架构,采用 Intel VT 和 AMD – V 的硬件虚拟化技术,支持 Intel 扩展页表技术 支持虚拟机生命周期管理,支持查询、创建、删除、安全删除、启动、关闭、重启、休眠、唤醒、克隆虚拟机、VNC 登录、远程光驱挂载 支持性能监控功能,对资源中 CPU、网络、磁盘使用率等指标的实时数据统计 虚拟化管理系统节点提供主备冗余方式确保平台的可用性,支持虚拟机部署模式

续表 5-8

技术指标	指标要求
兼容性要求	支持 Intel 最新的 CPU,包括 Intel IvyBridge 和 Haswell 系列 支持同一 CPU 厂商不同 CPU 型号服务器组建在同一逻辑集群中,支持 CPU 跨代热迁移 兼容现有市场上主要服务器厂商的主流 X86 服务器 兼容现有市场上主流的存储阵列产品,如 SAN、NAS 和 iSCSI 兼容现有市场上主流的网卡、HBA 卡产品、USB 等设备 兼容现有市场上 X86 服务器上能够运行的主流操作系统
功能性要求	提供高可用功能(HA)和虚拟机热迁移(vMotion)功能 支持内存复用技术 支持将多个物理服务器组成集群 支持集群动态资源分配(DRS)功能 支持虚拟化多路 CPU 技术 提供分布式虚拟交换机功能 支持在线存储迁移功能 支持热添加虚拟 CPU 、虚拟内存、虚拟网卡和虚拟磁盘功能 提供统一的图形界面管理软件 提供应用级别的监控告警功能 支持设置资源池 SLA
指标性要求	支持虚拟机规格最大 64 个虚拟 CPU,最大 1 TB 内存,最大 10 个网卡,最大 64 TB 磁盘容量 支持服务器规格最大 512 个虚拟机,最大 320 个逻辑核,最大物理内存 4 TB 支持单个 HA 资源池逻辑集群规格最大计算节点 64,基于集群文件系统最大规格 32 个,单个物理集群支持最大 4 000 个虚拟机,虚拟化云平台最大支持 30 000 虚拟机规格

5.6　系统安全

鉴于大藤峡工程建设管理信息系统的重要性,把大藤峡工程建设管理信息系统定级为信息系统安全等级三级保护,大藤峡工程建设管理信息系统按照三级进行防护建设。

重点开展数字证书认证系统(CA 系统)、用户管理系统、身份认证系统、区域边界防护、虚拟化服务器操作系统安全免疫、系统应用层面安全防护和系统安全整改咨询与测评建设。

5.6.1 身份认证与访问控制

建立大藤峡公司、设计单位、监理单位、施工单位、供应商的用户认证管理平台,实现内部和外部用户信息的统一管理、集中授权,实现统一的身份(数字证书)认证和单点登录。用户认证平台主要包括用户管理系统、数字证书认证系统(CA 系统)和身份认证系统。

5.6.1.1 用户管理系统

用户管理系统主要是实现统一用户管理和权限控制,管理全省所有用户数据和组织机构数据,包括组织机构管理、用户管理、应用系统注册管理、权限管理和查询接口等模块。实现平台账号信息的统一管理、集中授权。

(1)组织机构管理。主要包括增加子机构、修改机构基本信息、注销机构、激活机构、复制机构、移动机构等。

(2)用户管理。包括新增用户、用户信息查询与修改、用户注销、用户激活、密码修改与重置等。

(3)应用系统注册管理。包括应用系统注册、应用系统基本信息修改、应用系统注销、应用系统超级用户管理、应用系统超级用户密码修改与重置等。

(4)权限管理。对各个系统的访问权限,通过角色对组织机构、用户组、用户授权。集中用户授权服务提供访问策略继承、组成员授权和基于角色的访问控制功能。

(5)查询接口。以 API 接口形式提供给应用系统调用,以实现应用系统对所有机构信息、用户信息的查询及相关信息的获取集成接口。与原有系统的资源连结,实现与原用户信息的同步和映射。

5.6.1.2 数字证书认证系统(CA 系统)

数字证书认证系统(CA 系统)是用于数字证书的申请、审核、签发、注销、更新、查询的综合管理系统。CA 系统把用户的公钥(PKI)和用户的其他标识信息(如名称、身份证号码、e - mail 地址等)捆绑在一起,实现对用户身份的验证。CA 系统由认证中心(CA Server)、注册中心(RA Server)、密钥管理中心(KM Server)组成。

(1)认证中心(CA Server)负责所有证书的签发、注销和证书注销列表的发布等管理功能。

(2)注册中心(RA Server)负责所有证书申请者的信息录入、审核等工作,同时对发放的证书进行管理。

(3)密钥管理中心(KM Server)为认证中心(CA Server)提供用户加密密钥的生成及管理服务。

内部CA认证和第三方CA认证,都应支持手机终端的电子认证方式,满足各移动终端用户的电子认证需求,使得电子认证方式更加多样,更加便利。

硬件证书支持SD卡和电信UIM通信卡作为证书存储介质。同时,在用户手机终端上安装手机客户端软件,实现用户身份认证、办公页面展现、流程处理、数据加密、附件查看编辑等功能,保证移动端应用和数据安全。

5.6.1.3 身份认证系统

身份认证系统基于统一的用户管理系统,集成数字证书认证系统(CA系统),实现各应用系统的访问控制,提供单点登录服务,提供标准的用户和认证接口,包括登录服务、SSO服务、用户访问控制、用户登录审计和CA集成等功能。

(1)登录服务。提供用户直接登录的web界面和提供应用系统http调用的登录API。登录服务提供用户名口令和数字证书两种认证方式。

(2)SSO服务。是在用户访问应用系统时进行一次身份认证,随后就可以在安全域内访问所有被授权的资源,而不需要多次验证用户信息。

(3)用户访问控制。通过访问控制接口,与统一用户管理系统的权限管理共同实现访问控制功能。

(4)用户登录审计。通过安全审计接口,实现安全审计功能。对用户登录信息实时记录并监控,对登录情况系统访问情况进行分析统计和事后审计等。

(5)CA集成。与CA系统接口实现集成,通过使用数字证书为各级用户访问业务系统进行身份认证。

5.6.2 区域边界安全防护

按照安全体系总体设计,大藤峡工程建设项目管理系统部署于大藤峡公司信息系统安全等级保护三级区。

在大藤峡工程建设项目管理系统服务区边界部署防火墙,实现访问控制。其余安全防护结合已部署的入侵检测、入侵防御、安全审计等安全措施,实现区域边界访问控制、包过滤、安全审计等。

5.6.3　操作系统免疫平台

采用以可信计算技术为基础,以有效的访问控制为核心,通过部署服务器操作系统免疫平台实现云计算平台物理服务器资源的全方位、立体化安全防护。

5.6.4　传输安全

为满足移动用户方便、快捷地接入业务网络的互连需求,防止用户直接从互联网接入导致的安全问题,保证数据传输安全,提供 VPN 接入手段。

安全的远程连接可以通过 Web 浏览器的 SSL 隧道或 IPSEC VPN 隧道进行建立,提供一体化设备,同时支持这两种接入方式。

5.6.5　应用系统安全

工程建设项目管理系统应按照等级保护三级防护建设中的身份鉴别安全需求开展应用系统安全防护建设。

应用系统的用户口令应有复杂度要求,并定期更换。系统支持启用登录失败处理功能,可采取结束会话、限制非法登录次数和自动退出等措施。对采用两种或两种以上组合的鉴别技术对系统用户进行身份鉴别。

对于移动应用系统,可以通过绑定运营商 UIM 卡或短信验证登陆等方式增强移动终端准入等身份鉴别安全建设。

5.6.6　系统安全整改咨询与测评

系统安全整改咨询与测评包括系统安全整改咨询和系统安全等级保护测评。

(1)系统安全整改咨询。是基于国家信息系统安全等级保护相关标准和文件的要求,结合组织架构、业务要求、信息系统实际情况,协助进行风险评估和等级保护差距分析,制定完整的安全整改建议方案,协助完成信息系统等级保护整改和安全建设工作。

(2)系统安全等级保护测评。是按照依据《信息系统安全等级保护测评要求》等管理规范和技术标准,检测大藤峡工程建设项目管理系统的安全等级保护状况是否达到三级等级基本要求,系统安全测评主要包括安全技术测评和安全管理测评。

5.7　系统集成

5.7.1　系统集成目标

(1)实现不同数据源的数据实时集成,满足各模块使用工程建设项目管理相关数据的要求。

(2)实现不同开发商不同功能的独立应用软件整合,达到各部分从数据贯通到系统风格都完全融合。

5.7.2　系统集成任务

工程建设项目管理系统对于“智慧大藤峡”建设而言,既是重点也是核心,是一个大型信息化工程项目。系统集成任务主要包括与项目管理软件产品的集成、本系统内部相关模块之间的集成、本系统与其他系统之间的集成,同时考虑为未来新建系统预留接口。

5.7.3　系统集成方案

5.7.3.1　与项目管理软件产品的集成

由于大藤峡工程建设项目管理系统是基于成熟先进的项目管理软件(进度计划商业软件)产品进行二次开发和定制,因此要与选用的项目管理软件产品进行双向集成,保证数据互联互通。

5.7.3.2　本系统内部相关模块之间的集成

大藤峡工程建设管理系统中的设计管理模块、施工管理模块、进度管理模块、合同管理模块、质量管理模块、安全管理模块、投资管理模块、采购与物资管理模块、文档管理模块之间存在着集成关系。工程建设项目管理系统内部相关模块之间的集成,要求实现互联互通、互为调用和“一站式”登录访问。

1. 施工管理模块

(1)与智能温控系统和灌浆管理系统的集成关系。智能温控系统和灌浆管理系统建成后,将作为施工管理模块的功能模块,集成到施工管理模块中。

(2)与工程设计管理模块的集成关系。设计单位发起的设计变更与施工管理中的工程变更要进行集成,能由设计变更通知单转至工程变更平台,承包单位直接能看到变更内容,比如变更发生的部位、变更原因、变更工程量等。

(3)与工程合同管理模块的集成关系。工程变更管理最终反映至合同变更,审批通过的变更信息应直接集成至合同变更中,保持信息的一致性;支持经审批通过的项目变更的费用明细和总计能够自动与合同管理模块集成,形成合同变更数据,能反映到合同台账。

(4)与进度、质量、安全管理模块的集成关系。现场协同管理协同与进度、质量、安全的业务,比如进度计划的调整、质量检验的通知、安全措施的下达等。

(5)与工程文档管理模块的集成关系。项目每天都会有许多工程电子文件,可以将其作为施工日志的附件;或者将这些文件存入文档服务器,可以进行关联。

2. 工程进度管理模块

(1)与工程投资管理模块的集成关系。WBS 计划的编制是年度投资计划的依据,赢得值管理又依赖于进度信息的采集。

(2)与工程设计管理模块的集成关系。WBS 是从设计阶段产生,并逐步完善的过程。

(3)与工程合同管理模块的集成关系。招标管理中的招标设计是按照总体进度计划做的;合同与 WBS 需要设置对应关系,以构建核心数据架构。

3. 工程合同管理模块

(1)与工程投资管理模块的集成关系。合同将与投资管理全面集成,概算将与合同对应,为投资管理构建核心数据,合同签订、合同变更金额、已结算金额、已支付金额都将作为投资统计的要点。

(2)与工程进度管理模块的集成关系。每一个合同都要与整个 WBS 的部分形成对应关系,整个工程进度计划的编排为招标的不断开展提供有力支持。

(3)与工程施工管理模块的集成关系。施工管理中的工程变更经过审批后将直接集成至合同变更,形成合同变更来源,合同模块可以追溯至具体的变更单;施工管理中的工程报量又是合同结算的前端步骤,提供更细颗粒度的数据。

4. 工程质量管理模块

与工程施工管理模块的集成关系:工程施工按每单元工程做质检,质检合格的单元工程的工程量作为工程报量的依据。

5. 工程安全管理模块

(1)与工程安全监测系统和工程施工安全视频监控系统的集成关系。工程安全监测系统和工程施工安全视频监控系统建成后,将与工程安全管理模块进行集成，作为安全管理模块的功能模块，实现数据的互联互通。

(2)与工程进度管理模块的集成关系。具体安全措施的安排必须与合同项目的计划管理关联，同时这些安全措施的实施效果要在项目的进展中反映。

(3)与工程合同管理模块的集成关系。安全的目标必须在合同中体现，作为合同的基本信息或条款。

(4)与工程施工管理模块的集成关系。施工管理必须严格按安全保障计划进行施工，安全环保方面的协同也需要通过施工管理中的现场协同来完成。

6. 工程投资管理模块

(1)与工程合同管理模块的集成关系。合同管理中合同相关数据(合同签订、变更、结算、支付等)会集成至成本管理，成为投资统计的最基础资料。

(2)与工程进度管理模块的集成关系。进度管理为赢得值管理提供工程实际进度数据，同时进度管理为年度投资计划编制提供时间维度的数据。

7. 采购与物资管理模块

(1)与工程合同管理模块的集成关系。采购与物资管理模块将与合同招标管理共享供应商信息；合同签订之后才能流转至采购订单；合同签订与合同变更都会直接反映到未执行的采购订单上，比如合同的单价变更应及时影响那些未执行完毕的采购订单的采购单价；采购结算管理又需要共享合同模块中的合同信息，方能提供准确的结算单价或结算量。

(2)与工程质量管理模块的集成关系。质量检验在机电物资的各个环节进行，比如设备监造、物流配送、入库、调度等。

(3)与工程投资管理模块的集成关系。作为投资管理中项目成本管理，是对项目所有成本的归集和统计，机电物资的库存成本和领用成本都是项目成本核算的主要构成。

第6章 风险及效益分析

6.1 风险分析及对策

常规的项目风险主要来自于项目实施基础、当前技术条件、管理、筹资等方面。大藤峡工程建设项目管理系统在这些方面都具备良好的规避风险能力。

从基础上看,大藤峡工程建设项目管理系统建设条件良好。大藤峡公司相关业务主管部门迫切需要信息化手段为工程建设精细化和科学化全过程管理提供有效支撑,从而提高工作效率,控制工程建设进度和质量;大藤峡公司已建设了连通各相关主管部门的专线网络,同时系统规划部署于珠江水利委员会中心机房,为系统稳定运行提供了可靠的环境支撑。

在技术上,大藤峡工程建设项目管理系统建设条件成熟。三峡、二滩水电等大型水利工程的工程项目管理系统的成功应用为本项目建设提供了宝贵经验和成熟案例;以互联网+、云计算、物联网、大数据为代表的新技术的广泛普及和深度应用,为项目建设提供了新的技术手段和途径,开拓了更加广阔的前景。

在资金和管理上,大藤峡公司组建了网信办,专门对信息化建设项目进行统筹管理。而大藤峡水利枢纽工程的启动建设,为本项目提供了有力的资金保障。

6.2 效益分析

大藤峡水利枢纽工程是珠江流域人民特别是广东、广西人民期盼已久的重大民生工程,具有西江中下游无可替代的防洪、航运、灌溉、水资源、水生态和水力发电等综合效益。大藤峡信息化工程秉承大藤峡工程的效益属性,具有良好的社会效益、经济效益、管理效益,并且是提升大藤峡工程效益的重要措施和有力手段。

通过大藤峡工程建设项目管理系统提升工程、企业的现代化先进管理,促进建管水平和工程效能的较大提升，从而提升大藤峡工程的整体效益，因此大藤峡工程建设项目管理系统建设在公司综合管理和工程建设、运行管理上将发挥良好的效益。

大藤峡工程建设项目管理系统提高了工程管理规范化程度和强化了管理基础工作。通过把管理业务流程、规范制度计算机化，避免了手工操作业务时容易产生的工作差错和随意性问题，解决了在手工管理中不好解决的一些薄弱环节或问题，构建了规范、严密、高度集成的业务流程和工作体系，各方相互依赖也相互约束，数据严格受控，数据规范化、准确性、集成性得到明显提高，促进了工程管理业务的规范化，提高了管理安全性。

大藤峡工程建设项目管理系统促进和实现了工程管理业务协调运作，实现了投资、合同、工程财务会计、物资设备、质量、安全等业务的分层管理、分级控制和规范协调运作，避免了手工运作时各方数据、台账不一，容易产生混乱的现象。

通过大藤峡工程建设项目管理系统的建设，工程建设信息反馈及时，流程管理严密，增强了工程资金预算准确性，实现了资金集中管理，缩短了结算周期，从而规避了资金风险、直接降低了资金成本；同时，加速了物资周转，在保障工程物资供应的同时，大大降低了仓储物资库存及相关资金占用和采保费开支；提高了工作质量和效率，大量节省了人工，降低了人工成本支出。

大藤峡工程建设项目管理系统形成大藤峡工程参建各方的协同办公平台，形成统一的项目管理平台和门户系统，规范工程建设管理过程中的合同、财务、成本、物资、设备、人力等内容。基本实现信息资源共享和高效利用，促进工程建设管理和决策方式的改进与优化，提高工程建设管理水平，实现管理的科学化、精细化，从而实现对大藤峡工程建设与管理活动的全过程、全方位的信息化管理与调控。

第 7 章　环境影响评价

大藤峡工程建设项目管理系统建设属于水利的非工程性措施,其中有可能对环境造成影响的主要是 IT 设施的能耗、辐射对场地原状的影响。

目前,国家对 IT 产品及设施的节能环保标准与规范,信息化项目建设只要提出相关的设计要求,严格遵循相关标准、规范,集成后的信息系统及其设施均不会造成明显的能耗、辐射等环境影响。信息系统项目建成投入运行后,无任何污染物排放,不会影响建设范围内的大气、水体和土壤。

通过本项目的实施,大藤峡工程信息化水平将得到显著提高,提升了工程的运行效率和安全可靠性,并在很大程度上减轻人工投入和提高工作效率,减少纸质文档材料占用空间和打印机能耗,从而进一步提高了工程建设与管理效率,推进工程建设顺利实施,为尽快投入水利枢纽工程运行,提高水资源开发利用与水环境保护能力、改善水生态环境、保障水安全等工作提供有力的支撑。